neugierig auf ... BIOLOGIE 1

E. DORNER
westermann

INHALTSVERZEICHNIS

M bedeutet Methodenseite.
F bedeutet Forschungsaufgabe.
R bedeutet Rätselseite.

Liebe Schülerinnen und Schüler!

Damit ihr besser lernen könnt, unterstreicht euch im Text die wichtigsten Begriffe mit Leuchtstift. Die fetten Begriffe in „Jetzt weiß ich´s“ helfen euch dabei.

Biologie und Umweltkunde – dein neues Unterrichtsfach

Auf deinem Stundenplan findest du **Biologie und Umweltkunde** als Unterrichtsfach.
Das Wort Biologie setzt sich aus zwei Begriffen der griechischen Sprache zusammen:
„Bios“ bedeutet Leben und „logos“ bedeutet Lehre.
Biologie ist also die Lehre über das Leben.

In Biologie, Chemie oder Physik (den **Naturwissenschaften**) wird beobachtet, Abläufe in der Natur werden genau beschrieben und vor allem wird **experimentiert,** um wichtige Informationen zu erhalten. Die Versuchsdurchführung und die **Ergebnisse** werden in ein **Protokoll** geschrieben.

In diesem Buch findest du viele Aufgaben. Lege dir ein Heft an, in das du die Antworten zu den Aufgaben hineinschreibst, **Zeichnungen** anfertigst etc.
Zum Zeichnen solltest du nur Bleistifte und Buntstifte, aber keine Filzstifte verwenden. Damit du später weißt, was die Zeichnungen darstellen, schreibe eine kurze Erklärung darunter. Man nennt das Bildunterschrift.

Um in deinem Heft den Überblick zu behalten, solltest du die **Seiten nummerieren.** Schreibe zu den Aufgaben **Datum** und **Überschrift** sowie einen Verweis auf die Buchseite, von der die Aufgabe stammt.
Besonders hilfreich ist ein **Inhaltsverzeichnis,** lass dafür die erste Seite deines Heftes frei.

Wie führe ich mein Biologieheft?

1 Eine gut gegliederte Heftseite

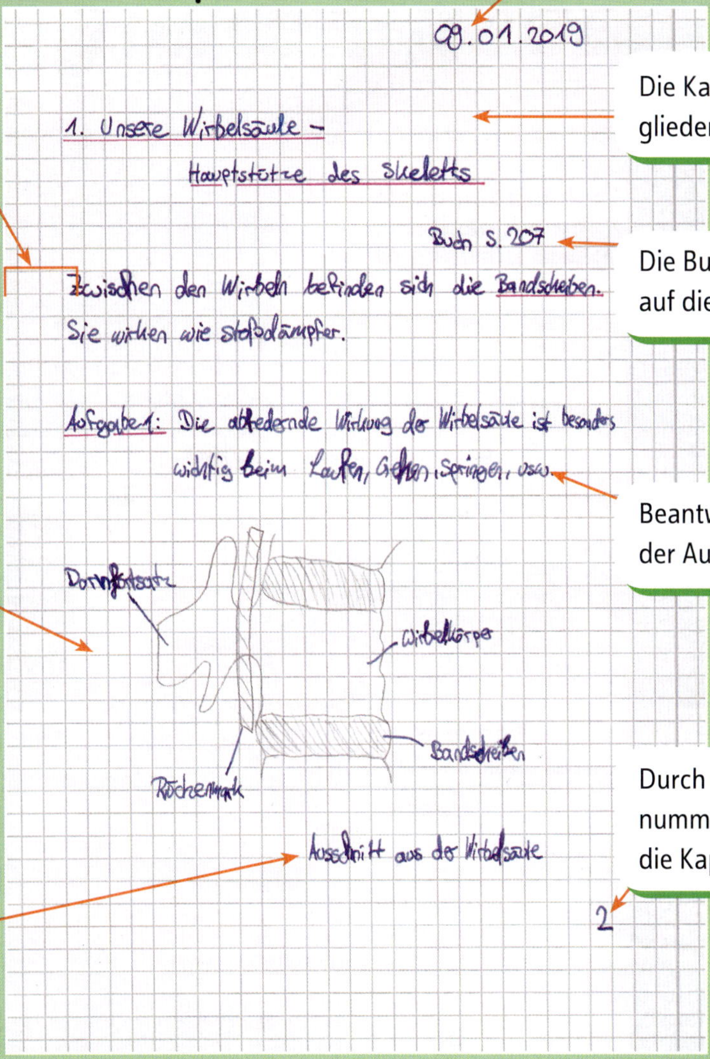

Das Datum dient dazu, die Aufzeichnungen zu ordnen und bei Bedarf wiederzufinden.

An den Seiten lässt du einen Rand von etwa 1,5 Zentimetern frei.

Die Kapitelüberschrift gliedert die Mitschrift.

Die Buchseite verweist auf die Aufgaben.

Die Skizze kann mit Bleistift und Buntstiften gemacht werden.

Beantwortung der Aufgabe

Durch die Seitennummerierung findest du die Kapitel leichter.

Durch die Bildunterschrift weiß die Leserin oder der Leser, was dargestellt ist.

Mit einem Inhaltsverzeichnis kannst du dein Heft übersichtlich gestalten.

Inhaltsverzeichnis

Die Aufgaben des Skeletts

Beim Laufen, Springen oder Turnen muss dein Körper Erschütterungen ausgleichen, Stöße abfangen und beweglich sein. Dafür sorgen über 200 Knochen: Sie bilden das Knochengerüst, auch Skelett genannt. Es verleiht dem Körper Halt und schützt ihn.

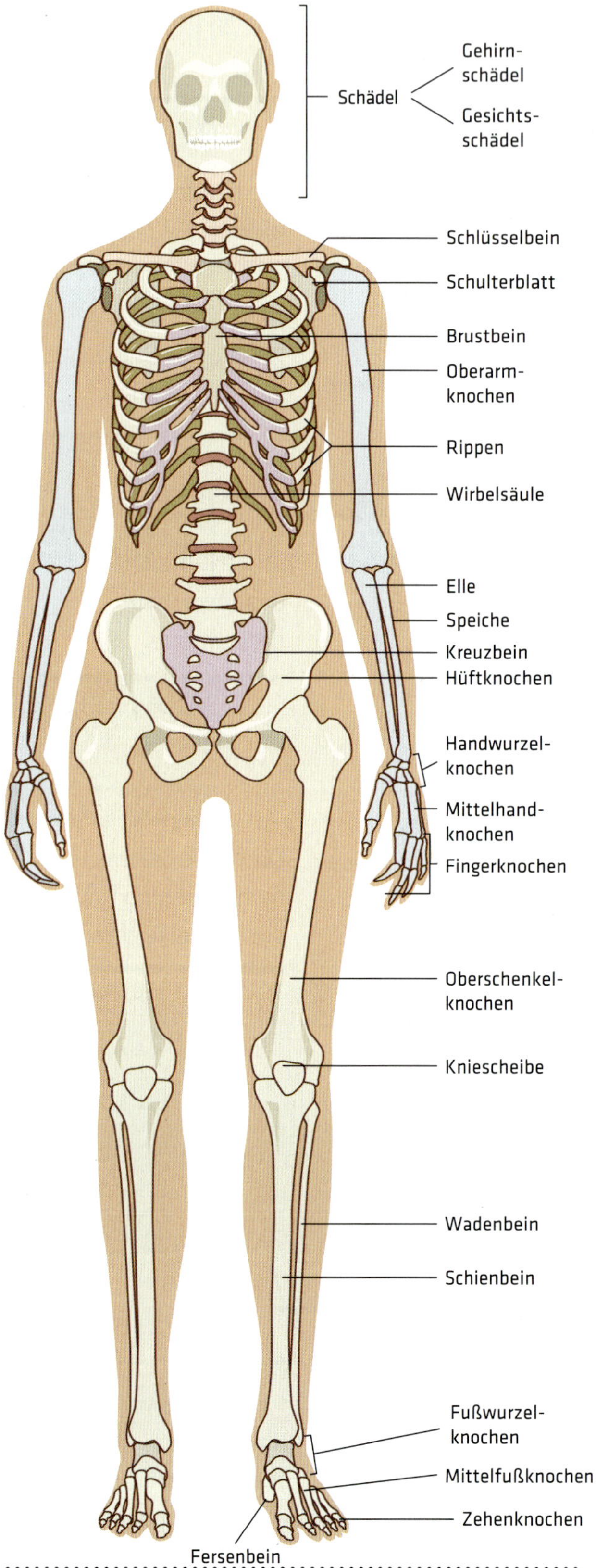

1 Das Skelett des Menschen (Kopfskelett braun, Rumpfskelett rosa, Gliedmaßenskelett blau)

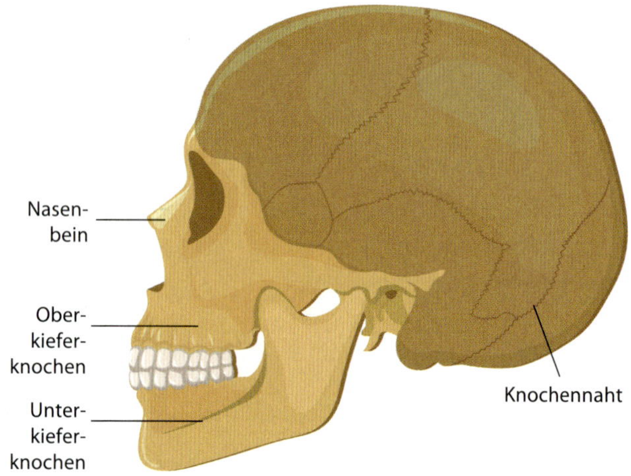

2 Das Kopfskelett des Menschen (Gesichtsschädel hellbraun, Gehirnschädel dunkelbraun)

Das Kopfskelett

Es ist besonders widerstandsfähig. Der Gehirnschädel besteht aus harten Knochenplatten, die durch gezackte Knochennähte miteinander verwachsen sind. Er schützt das Gehirn.
Der einzige bewegliche Knochen des Schädels ist der Unterkieferknochen. Er gehört wie zum Beispiel der Oberkieferknochen oder das Nasenbein zum Gesichtsschädel.

Das Rumpfskelett

Zum Rumpfskelett gehört die Wirbelsäule. Sie trägt den Kopf und den Brustkorb und ist im Becken fest verankert. Der Brustkorb schützt sowohl Herz als auch Lunge vor Verletzungen. Zu ihm gehören 12 Paar Rippen. Die 10 oberen Rippenpaare sind durch elastische Knorpelstücke mit dem Brustbein verbunden.

Das Gliedmaßenskelett

Arme und Beine bezeichnet man als Gliedmaßen. Sie sind mit dem Rumpf verbunden. Der Schultergürtel verbindet den Rumpf mit den Armen. Er besteht aus zwei Schulterblättern und zwei Schlüsselbeinen. Der Beckengürtel verbindet den Rumpf mit den Beinen. Er besteht aus zwei Hüftknochen und dem Kreuzbein.

Das menschliche Fußskelett – eine Besonderheit

Beine und Füße tragen die gesamte Last des Körpers. Das Fußskelett muss daher besonders stark sein. Die Fußmuskeln geben zusätzlichen Halt. Können sie diese Aufgabe zum Beispiel durch Überlastung des Fußes nicht erfüllen, kommt es zu Fußschäden wie Plattfüßen. Die Folgen sind Fußschmerzen und Haltungsschäden.

Du kannst Fußschäden vermeiden!

Wir können solche Fußschäden vermeiden, wenn wir viel wandern, bei Gelegenheit barfuß laufen und damit unsere Fußmuskeln kräftigen. Wichtig sind auch passende Schuhe.

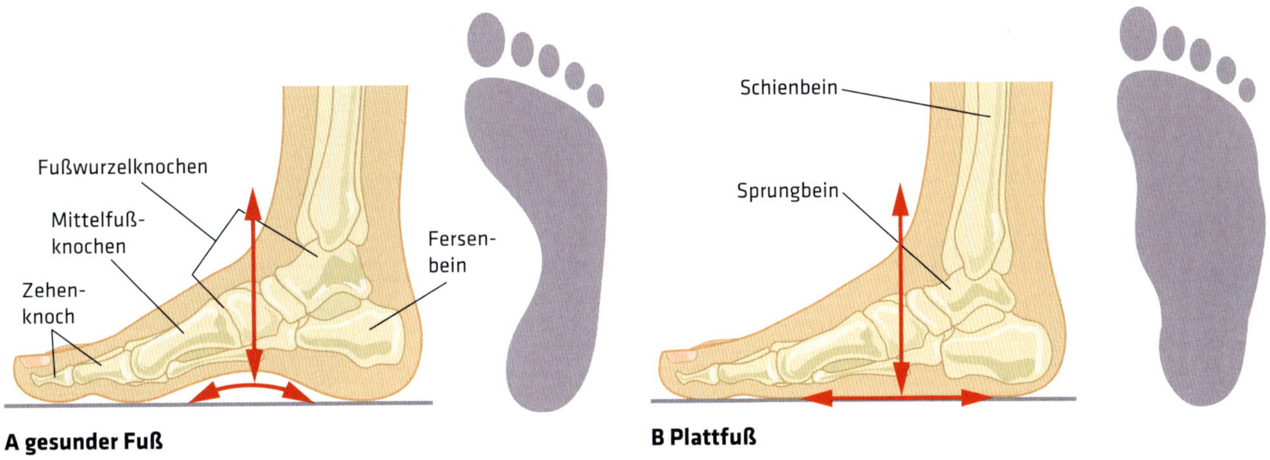

3 Fuß und Fußabdruck

1 Das Armskelett und das Beinskelett haben Gemeinsamkeiten und Unterschiede. Überlege, welche.

2 Stelle einen Fußabdruck her. Feuchte dazu deine Fußsohlen an und drücke sie auf ein Stück Karton. Zeichne den dabei entstandenen Fußabdruck mit Bleistift nach. Vergleiche ihn mit der Abbildung 3.

Jetzt weiß ich´s!

Das Skelett gibt dem Körper Halt und schützt ihn. Wir unterscheiden **Kopf-**, **Rumpf-** und **Gliedmaßenskelett**. Die Arme sind mit dem Rumpf durch den **Schultergürtel**, die Beine durch den **Beckengürtel** verbunden.

Was kannst du machen, um deine Füße gesund zu halten?

Die Füße tragen das gesamte Körpergewicht. Sie haben daher eine besondere Form: An den Knochen des Fußskelettes setzen starke Muskeln an. Der Fuß bildet ein Gewölbe, das wie ein federnder Stoßdämpfer wirkt. Ein gesunder Fuß berührt den Boden nur mit der Ferse, der Außenkante des Fußes, dem Groß- und dem Kleinzehenballen und mit den Zehen. Das Körpergewicht ruht hauptsächlich auf drei Punkten: der Ferse, dem Großzehenballen und dem Kleinzehenballen.

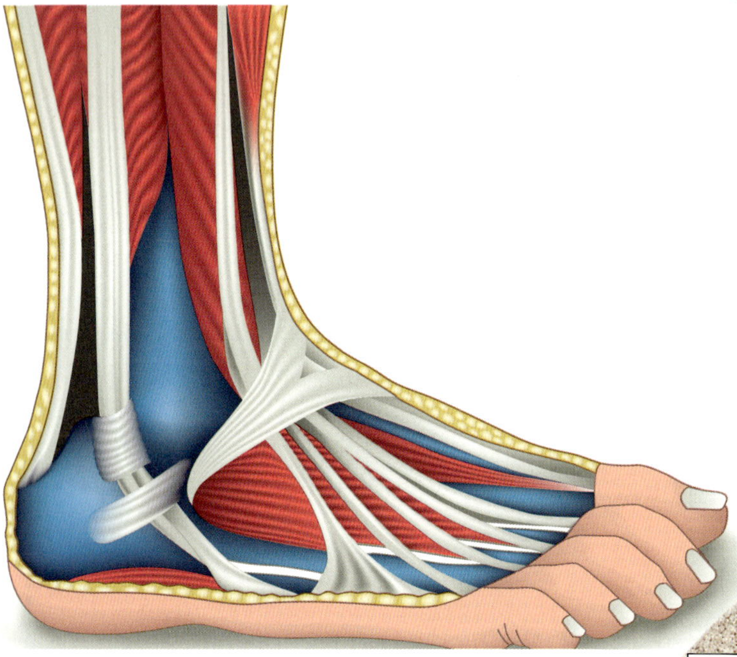

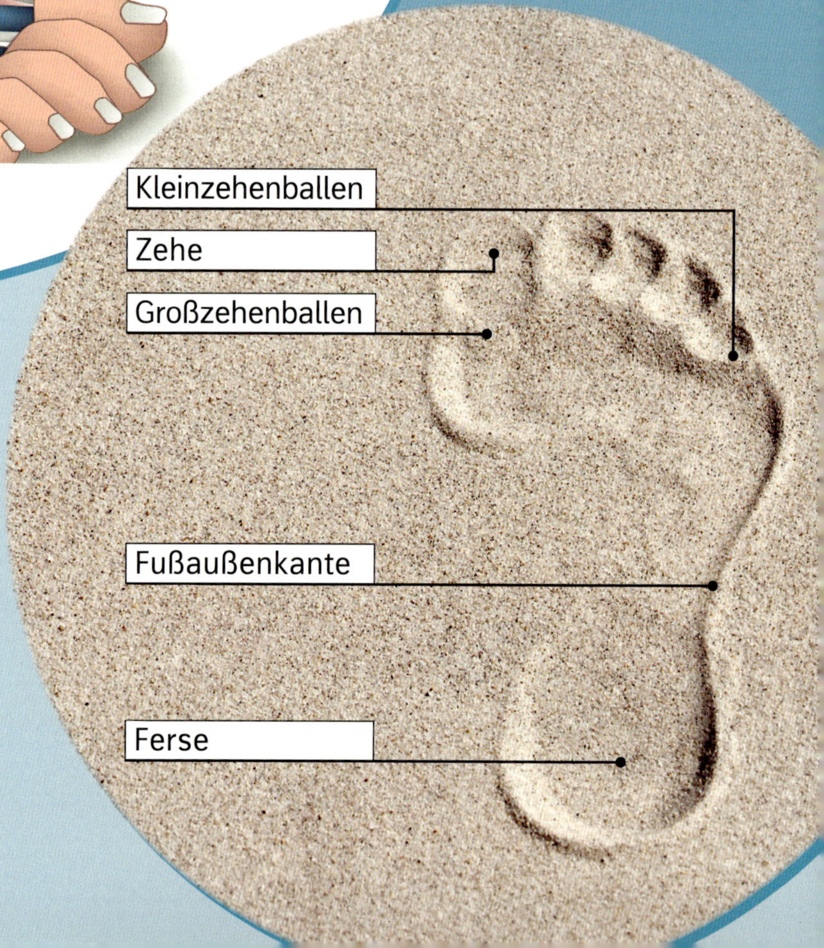

1

Einzelarbeit

1. Nimm eine gerade Sitzhaltung ein. Überprüfe nun, wie deine Füße den Boden berühren. Schreibe auf, wo du den Druck des Bodens spürst.

   ____

2. Wie gelingen dir die folgenden Übungen? (Ziehe dafür deine Schuhe und Socken aus.)

- Kannst du ein Zeitungsblatt mit den Füßen aufheben?
- Kannst du ein Stück Papier mit dem linken Fuß aufheben und dann mit dem rechten Fuß nehmen?
- Kannst du das Papier mit dem rechten Fuß aufheben und dann mit dem linken Fuß nehmen?
- Kannst du ein Zeitungsblatt mit den Füßen zusammenknüllen und dann wieder glatt streichen?
- Kannst du das Papier mit den Füßen zerreißen und die Schnipsel mit den Füßen zum Papierkorb tragen?
  Probiere es aus!

3. Was spürst du an den Füßen, wenn du barfuß gehst?

   ____

4. Versuche, mit einem Fuß eine Tasche aufzuheben.
   Schreibe auf, in welchen Bereichen deines Körpers dabei Muskeln angespannt werden.

   ____

   ____

2

Partnerarbeit

Schreibt gemeinsam ein Übungsprogramm, das euch hilft, die Sehnen und Bänder eurer Füße zu stärken. Schreibt auf, wie oft ihr welche Übungen machen wollt, um gesunde und kräftige Füße zu bekommen. (Übrigens: Diese Übungen regen auch das Gehirn an!)

3

Präsentation der Ergebnisse

Eure Lehrerin/euer Lehrer lost nach 10 Minuten eine Gruppe aus. Diese präsentiert dann ihr Übungsprogramm.

Die Wirbelsäule – Hauptstütze des menschlichen Körpers

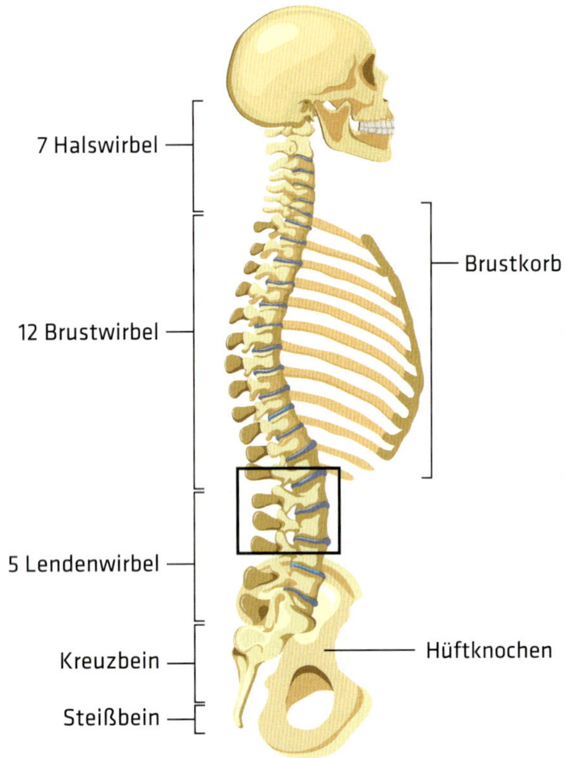

1 Der Bau der Wirbelsäule des Menschen

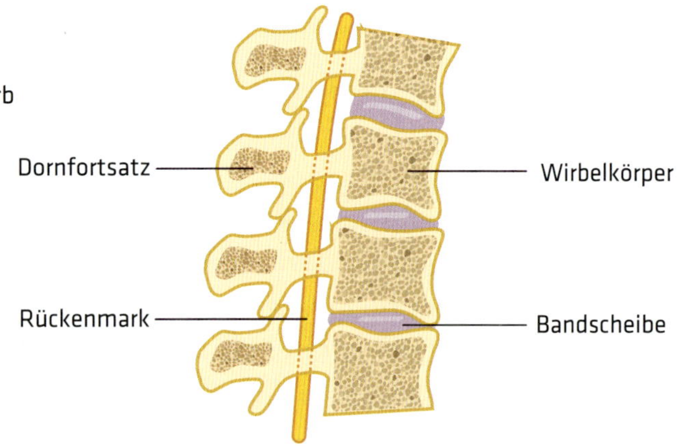

2 Ausschnitt der Wirbelsäule

Der Bau der Wirbelsäule

Die aufrechte Haltung des Menschen wird durch die Wirbelsäule ermöglicht. Diese „Säule" ist jedoch kein starrer Knochenstab. Sie setzt sich aus insgesamt 33–34 Wirbeln zusammen und ist deshalb sehr beweglich. Zwischen den Wirbelkörpern befinden sich elastische Knorpelplättchen, die Bandscheiben. Sie wirken wie Stoßdämpfer und fangen so die meisten Stöße federnd ab. Zugleich vermeiden sie, dass die harten, knöchernen Wirbel aneinander reiben.

Die Abschnitte der Wirbelsäule

Die Hals-, Brust- und Lendenwirbel sind beweglich miteinander verbunden. So kannst du zum Beispiel den Rumpf vorwärts, rückwärts und seitwärts beugen. Die 5 Kreuzbeinwirbel sind zum Kreuzbein verwachsen. Die 4–5 Steißbeinwirbel bilden das kurze Steißbein.

Die Form der Wirbelsäule

Betrachtest du die Wirbelsäule von der Seite, so fällt dir die doppel-S-förmige Krümmung auf. Aufgrund dieser Form kann die Wirbelsäule stark belastet werden, Stöße abfedern und Erschütterungen auffangen.

3 Die Wirbelsäule des Menschen und ihre Lage im Körper

4 Unterschiedliche Arten, die Schultasche zu transportieren

Haltungsschäden

Die Wirbelsäule wird mithilfe der Rückenmuskeln aufrecht gehalten. Wenn du häufig krumm sitzt, krumm gehst oder dich zu wenig bewegst, verkümmern diese Muskeln. Es entstehen Haltungsschwächen, die zu Haltungsschäden führen können.

1 In welchen Situationen ist es wichtig, dass die Wirbelsäule elastisch ist? Nenne Beispiele für Bewegungen.

2 Lies dir den Absatz „Haltungsschäden" durch. Überlege dir, worauf du achten musst. Sprecht dann über die Abbildungen 5 bis 7!

Jetzt weiß ich´s!

Die **Wirbelsäule** hält den Körper aufrecht und federt Stöße ab. Sie besteht aus **knöchernen Wirbeln**. Zwischen ihnen liegen **knorpelige Bandscheiben**. Die Wirbel des **Hals-, Brust- und Lendenbereichs** sind gegeneinander beweglich. Die **Kreuz-** und **Steißbeinwirbel** sind jeweils miteinander verwachsen.

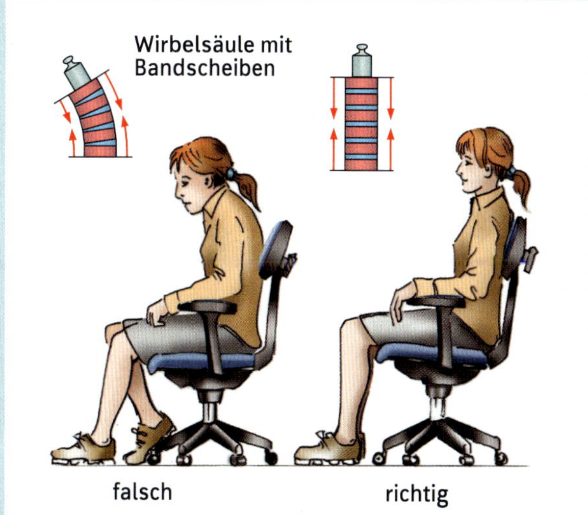

5 Richtiges Sitzen

6 Besser hinknien als bücken

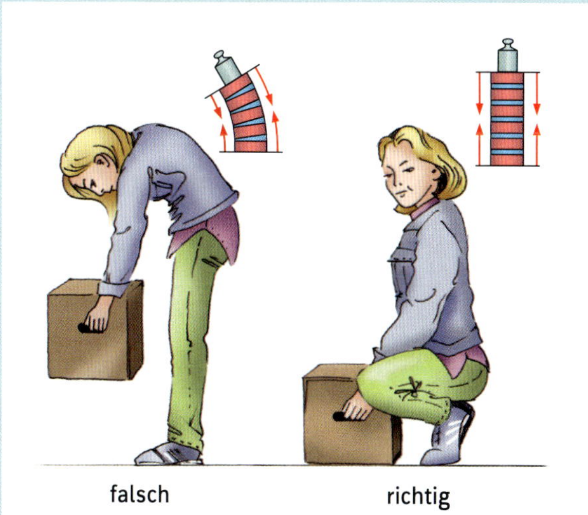

7 Richtiges Heben

Eine gesunde Wirbelsäule

Die Wirbelsäule ist die zentrale Stütze unseres Körpers. Sie besteht aus einzelnen Wirbelkörpern, die durch Sehnen, Bänder und Muskeln zusammengehalten werden. Sie bilden einen biegsamen Stab, das Rückgrat. Eine gesunde Wirbelsäule lässt sich ohne Schmerzen und Spannungen bewegen. Belastest du die Wirbelsäule aber nur einseitig, können Verformungen (Abb. 2) entstehen, die schmerzvoll sind. Sie engen deine Bewegungsmöglichkeiten ein. Was kannst du tun, damit deine Wirbelsäule gesund bleibt?

1 Unterschiedliche Arten, eine Schultasche zu tragen.

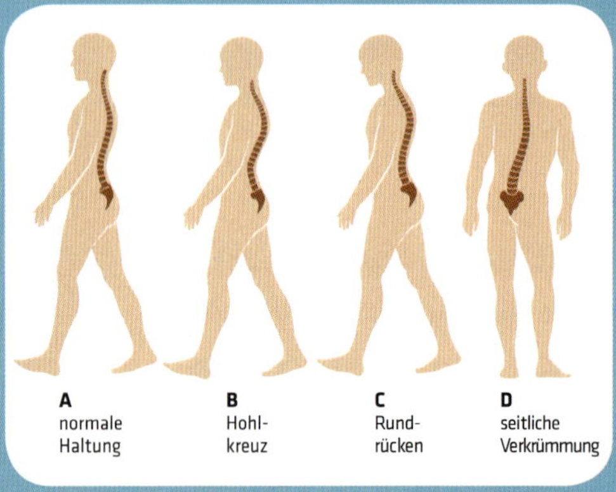

2 Normale Haltung und Haltungsschäden der Wirbelsäule

1

Einzelarbeit

Bearbeite die folgenden Aufgaben zunächst alleine.

1. Sitzhaltung

➡ Betrachte die beiden Bilder. Zeichne den Verlauf der Wirbelsäule ein.

➡ Welche Sitzhaltung ist für die Wirbelsäule besser – die linke oder die rechte? Begründe deine Meinung.

2. Einen Gegenstand aufheben

➡ Betrachte die beiden folgenden Bilder. Hebe deine Schultasche auf beide Arten vom Boden auf. Schreibe unter die Bilder, was du dabei im Rücken spürst.

➡ Was spürst du bei dieser Haltung?

➡ Was spürst du bei dieser Haltung?

3. Wie stark sind deine Bauchmuskeln?

➡ Überprüfe, wie viele „Sit-ups" du hintereinander machen kannst und schreibe die Zahl auf: __________.

Bei einem Sit-up liegst du auf dem Rücken, verschränkst die Arme hinter dem Kopf und ziehst den Oberkörper mit deinen Bauchmuskeln in die Höhe.

4. Einen Gegenstand tragen

➡ Du kannst das Gewicht, das deine Schultasche nicht überschreiten sollte, selbst berechnen. Das geht so: Multipliziere dein Körpergewicht mit der Zahl 15 und dividiere das Ergebnis durch 100.

Wie schwer dürfte deine Schultasche höchstens sein? __________

Welches Gewicht hat sie wirklich? Wiege deine Schultasche ab. __________

➡ Erkläre, was du tun kannst, um das Gewicht deiner Schultasche zu verringern?

Unfallverletzungen

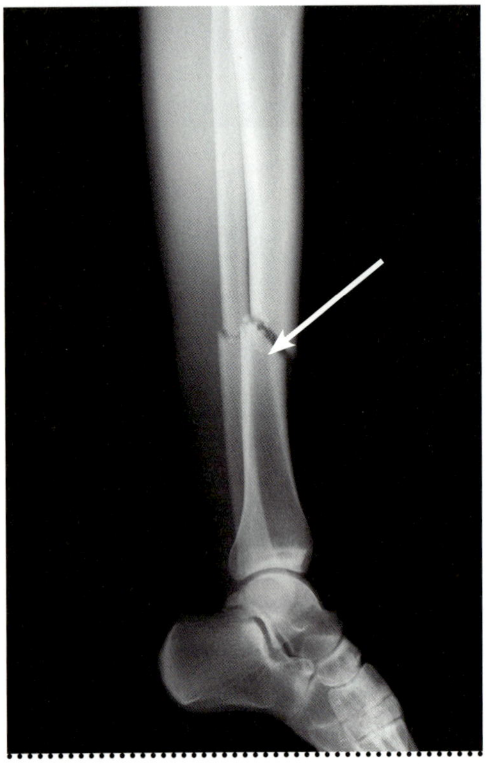

1 Knochenbruch des Schienbeins

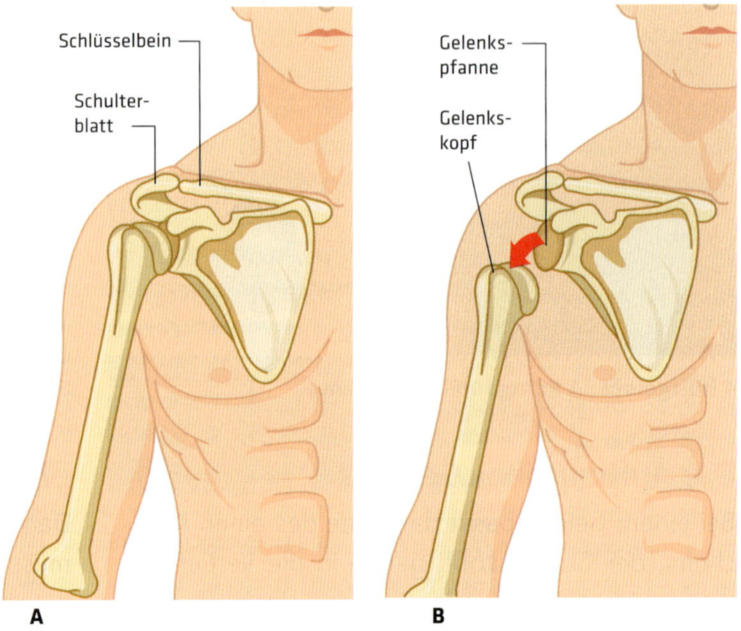

2 Schultergelenk (Schema). A normal; B verrenkt

Knochenbrüche

Bei einer Beinverletzung kannst du nicht immer sofort feststellen, ob es sich um einen Knochenbruch handelt. Die verletzte Stelle ist angeschwollen, gerötet und schmerzt sehr, sodass du nicht mehr auftreten kannst. Im Krankenhaus wird eine Röntgenaufnahme gemacht. Diese zeigt, ob es sich um einen Knochenbruch handelt. Wenn ja, wird ein Gipsverband angelegt, damit der gebrochene Knochen in Ruhe zusammenwachsen kann. An den Bruchstellen bildet sich zunächst Knochenknorpel, der die beiden Knochenstücke fest miteinander verbindet. Später lagert sich Knochenkalk ein und die Bruchstelle verknöchert. Die Heilung dauert etwa 3 bis 4 Wochen.

Verrenkung

Wenn z. B. die Schulter verrenkt ist, gleitet der Gelenkskopf nicht mehr in die Gelenkspfanne zurück. Die Schulter ist ausgekegelt. Du musst das Gelenk ruhigstellen und zu einer Ärztin oder einem Arzt gehen.

Verstauchung

Gelenke kannst du dir leicht verletzen. Wenn zum Beispiel dein Fuß umknickt, spürst du einen heftigen Schmerz und du kannst nur mehr schwer auftreten. Das Fußgelenk wird heiß und schwillt an. Durch zu starke Belastung wurden die Knochenenden der Gelenke kurz auseinandergezerrt, sprangen aber sofort wieder in ihre normale Lage zurück. Dabei wird die Gelenkskapsel überdehnt und Blutgefäße platzen. Durch einen Bluterguss schwillt die Gelenkskapsel an. Das Gelenk sollte ruhiggestellt werden, bis die Schwellung zurückgegangen ist.

Bänderverletzungen

Bänder halten Gelenke zusammen. Die Kreuzbänder im Kniegelenk zum Beispiel halten Ober- und Unterschenkelknochen zusammen. Die häufigsten Bänderverletzungen, wie Bänderzerrung oder Bänderriss, ereignen sich beim Schifahren oder beim Fußballspielen.

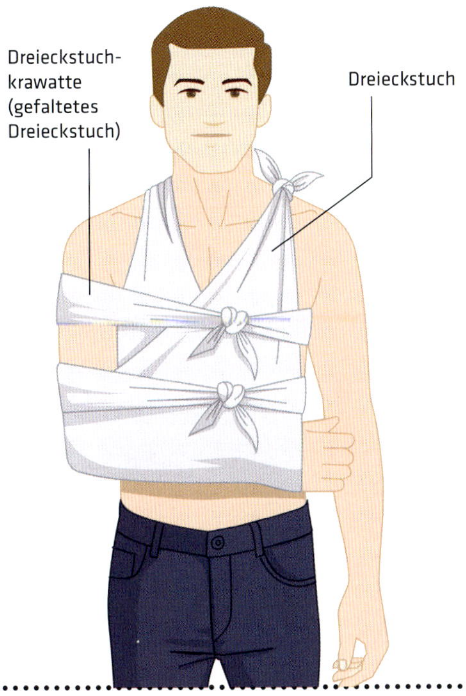

3 Der Arm kann durch ein Armtragetuch ruhiggestellt werden.

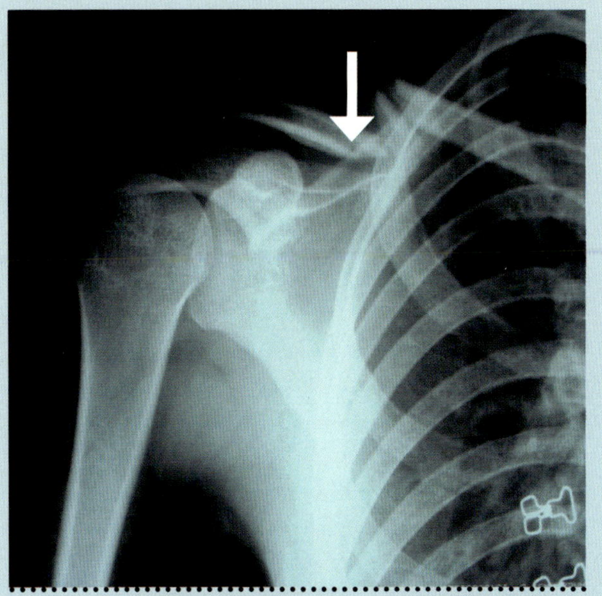

4 Schlüsselbeinbruch (Röntgenbild)

5 Unfallgefahr

1 Das Kind in Abb. 5 begibt sich in Gefahr.
- Beschreibe, was alles durch solch ein Verhalten passieren könnte.
- Überdenke, ob und wie sich derart gefährliche Situationen vermeiden lassen.

2 Sicher weißt du, dass man bei einem Unfall Erste Hilfe leisten soll. Informiere dich darüber im Internet. Überlege dir, welche Möglichkeiten du als Kind hast, um einem verletzten Menschen zu helfen.

Jetzt weiß ich´s!

Einen **Knochenbruch** erkennst du meistens anhand einer Röntgenaufnahme. Die Bruchstelle muss in Ruhe verheilen. Dafür wird ein Gipsverband angelegt. Überdehnst du eine Gelenkskapsel, entsteht eine **Verstauchung**. Das Gelenk muss ruhiggestellt werden, bis die Schwellung zurückgegangen ist. **Verrenkst** du dir ein Gelenk, springt der Gelenkskopf nicht mehr von selbst in die Gelenkspfanne zurück. Das Gelenk muss ruhiggestellt werden, bevor du eine Ärztin oder einen Arzt aufsuchst. Schiunfälle und Fußballspiele enden oft mit **Bänderverletzungen**.

Gesunde Zähne sind wichtig

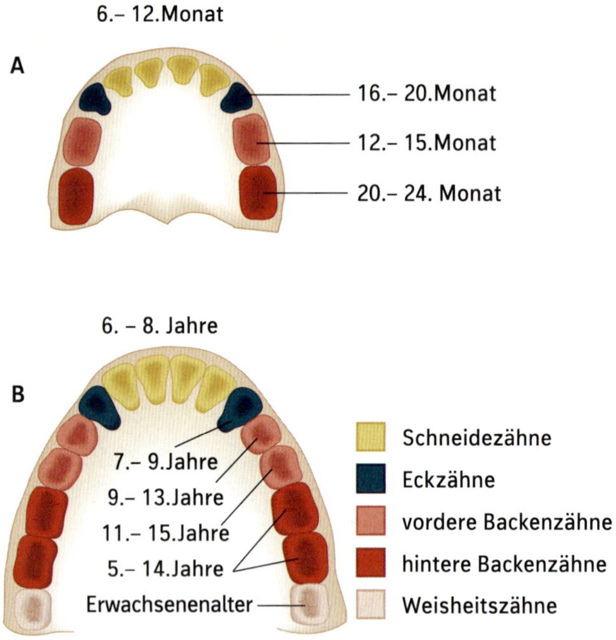

1 Gebiss des Menschen. A Milchgebiss; B Dauergebiss

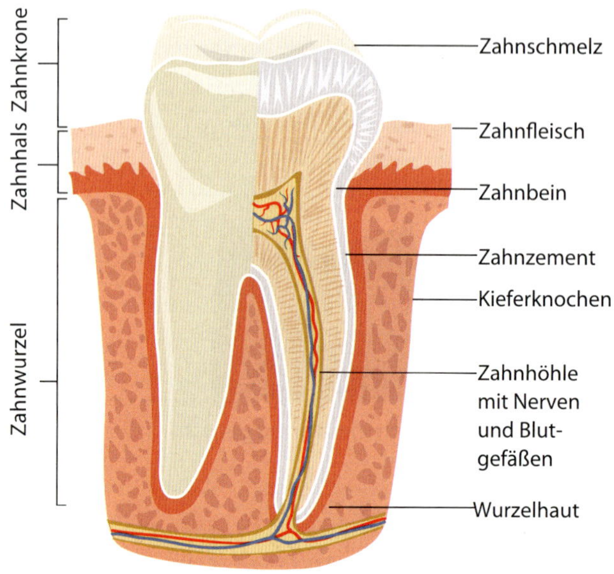

2 Bau eines Backenzahns

Die Zahnformen haben unterschiedliche Aufgaben

Die Zähne deines Gebisses sind keine toten Werkzeuge, sondern lebende Körperteile. Nur mit gesunden Zähnen kannst du gut kauen. Mit den Schneidezähnen beißt du ab. Bei besonders harten Speisen verwendest du dabei auch die Eckzähne. Anschließend kaust du den Bissen. Dabei wird er zwischen den Backenzähnen zerquetscht und zerrieben. Die vorderen Backenzähne heißen Vormahlzähne, die hinteren Mahlzähne.

Milchgebiss – Dauergebiss

Bei kleinen Kindern entwickelt sich zuerst das Milchgebiss mit 20 Zähnen. Milchzähne haben nur kleine Wurzeln. Etwa ab dem 6. Lebensjahr kommt es zum Zahnwechsel – die Zähne des Dauergebisses schieben die Milchzähne vor sich her. Diese werden locker und fallen aus.

Das vollständige Gebiss eines Erwachsenen, das Dauergebiss, hat 32 Zähne. Die hintersten Backenzähne nennt man Weisheitszähne. Sie brechen erst im Erwachsenenalter durch, bei manchen Menschen gar nicht.

Wie ist ein Zahn aufgebaut?

- Der Zahn wird von oben nach unten in Zahnkrone, Zahnhals und Zahnwurzel eingeteilt.
- Die Zahnkrone ist der Teil des Zahnes, den du im Mund siehst.
- Der Zahnhals liegt zwischen Zahnkrone und Zahnwurzel.
- Die Zahnwurzel ist jener Teil des Zahnes, mit dem dieser im Kieferknochen verankert ist.
- Betrachtest du die Schichten, aus denen ein Zahn aufgebaut ist, so nennt man diese von außen nach innen Zahnschmelz, Zahnbein und Zahnhöhle.

Der sehr harte Zahnschmelz überzieht das knochenartige Zahnbein. Im Zahninneren befindet sich die Zahnhöhle. Sie wird von Nerven und Blutgefäßen durchzogen. Mithilfe des Blutes wird der Zahn ernährt. Die Zahnwurzel ist mit hartem Zahnzement überzogen.

Karies – die häufigste Zahnkrankheit

Pflegst du deine Zähne nicht gut, werden sie krank. Karies (Zahnfäule) ist die häufigste Zahnkrankheit. Zu viel Süßigkeiten und schlechte Zahnpflege sind dafür verantwortlich. Zuckerhaltige Speisereste an und zwischen den Zähnen sind Nahrung für schädliche Bakterien. Es entstehen Säuren, die den Zahnschmelz angreifen. Dadurch können Bakterien bis in die Zahnhöhle eindringen. Es kommt zu schmerzhaften Entzündungen.

Zahnspangen regulieren die Zahnstellung

Manchmal wachsen die Zähne des Dauergebisses schief aus dem Kieferknochen. Dadurch kann man schlechter beißen und kauen. Durch Zahnspangen kann die Stellung der Zähne richtig gestellt werden.

3 Eine Zahnspange reguliert die Stellung der Zähne.

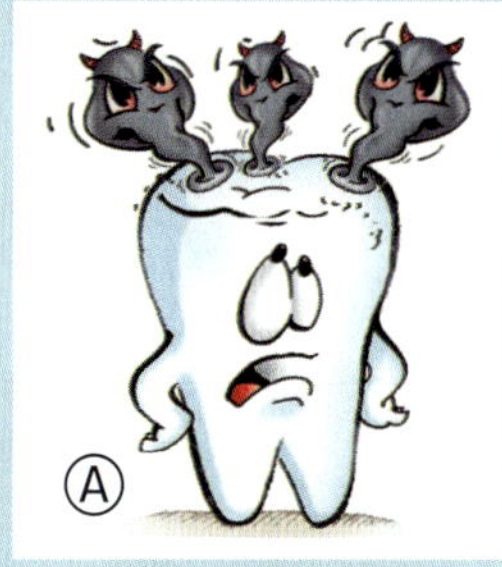

Kariesbakterien ernähren sich von zuckerhaltigen Speiseresten.

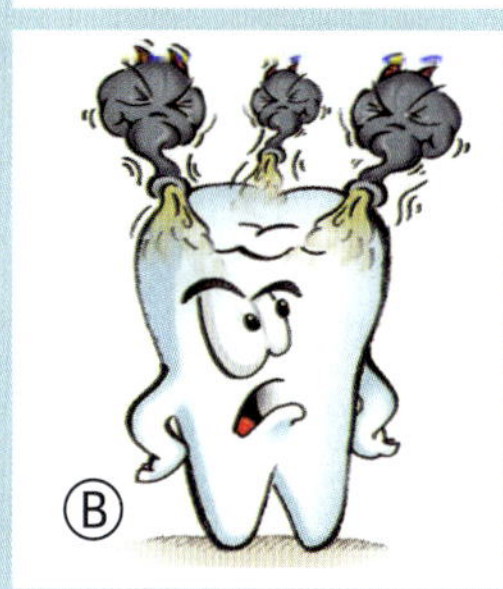

Die Kariesbakterien wandeln Zucker in Säure um, die den Zahnschmelz schädigt.

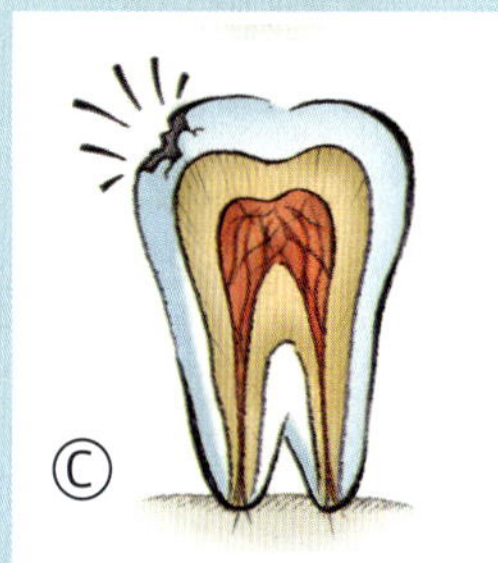

Der von der Säure angegriffene Zahnschmelz ist an dieser Stelle zerstört. Wir haben ein Loch im Zahn, das immer größer wird. Die Ärztin/der Arzt kann die Stelle ausbohren und eine Füllung (Plombe) einsetzen.

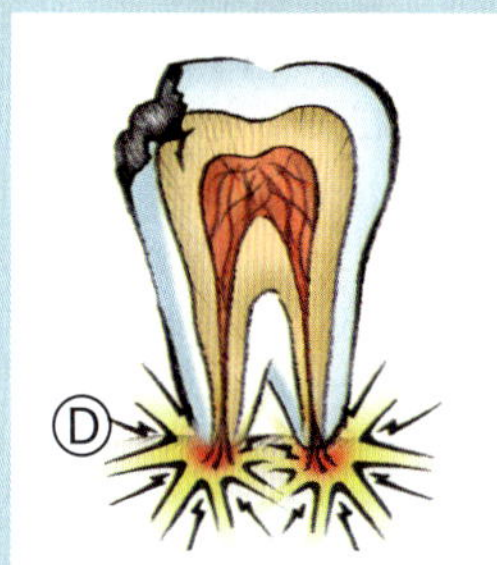

Gehst du nicht rechtzeitig zur Zahnärztin/zum Zahnarzt, wird auch das Zahnbein durch Karies geschädigt. Es kann sich ein Eiterherd bilden. Karies gelangt zum Zahnnerv. Du hast Zahnschmerzen. Der Zahn ist zerstört. Nicht in allen Fällen muss ein zerstörter Zahn gleich gezogen werden. Er kann durch eine Wurzelbehandlung noch einige Zeit erhalten werden.

4 Zerstörung eines Backenzahns durch Karies

1. Informiere dich bei deiner Zahnärztin oder deinem Zahnarzt über die medizinischen Gründe, warum schief stehende Zähne gerichtet werden sollten.

2. Zähne gehören gepflegt! Zähle auf, woran du dabei denken sollst.

Jetzt weiß ich´s!

Wir unterscheiden **Schneide-**, **Eck-** und **Backenzähne**. Das **Milchgebiss** besteht aus 20, das **Dauergebiss** aus 32 Zähnen. Jeder Zahn besteht von oben nach unten aus **Zahnkrone**, **Zahnhals** und **Zahnwurzel** und von außen nach innen aus **Zahnschmelz**, **Zahnbein** und **Zahnhöhle**. Die Zahnhöhle ist von Blutgefäßen und Nerven durchzogen. **Karies** (Zahnfäule) ist die häufigste Zahnkrankheit. Davor schützen regelmäßige Zahnpflege und Kontrollen durch Zahnärztinnen und Zahnärzte.

Wie ernähren wir uns richtig?

1 Verschiedene Tätigkeiten – unterschiedlicher Energiebedarf

2 Stimmen hier Tätigkeit und Energiezufuhr überein?

Der Körper braucht immer Energie

Nicht nur wenn du dich bewegst, auch wenn du schläfst, braucht dein Körper Energie. Die Atmung muss aufrechterhalten werden. Das Herz muss ständig Blut durch die Blutgefäße pumpen. Der Darm muss weiter arbeiten. Außerdem muss der Körper eine gleich bleibende Körpertemperatur von ungefähr 36,5 °C aufrechterhalten.
Wenn du dich viel bewegst, brauchst du noch mehr Energie. Diese Energie liefern die Nährstoffe in unserer Nahrung.

Nährstoffe

Die Grundbausteine unserer Nahrung sind die Nährstoffe: Kohlenhydrate, Fette und Eiweiße. Kohlenhydrate sind zum Beispiel in Brot, Nudeln und Süßspeisen enthalten, Eiweiße z. B. in Fleisch und Milch, Fette etwa in Wurst und Käse. Die meiste Energie enthalten kohlenhydrat- und fettreiche Lebensmittel. Deinen täglichen Nahrungsbedarf solltest du auf fünf Mahlzeiten verteilen, um die Verdauungsorgane nicht auf einmal zu stark zu belasten.

Nährstoffe allein genügen nicht!

Der Körper braucht neben den Nährstoffen (Kohlenhydraten, Fetten, Eiweißen) noch lebensnotwendige Stoffe, die er nicht selber aufbauen kann. Das sind Wirkstoffe wie Mineralstoffe, Spurenelemente und Vitamine.

Mineralstoffe sind Stoffe, wie sie zum Beispiel im Mineralwasser gelöst vorkommen, z. B. Magnesium.

Spurenelemente wie Jod, Fluor oder Eisen sind für die Gesundheit sehr wichtig. Fehlen sie, sind Mangelerscheinungen die Folge, z. B. Blutarmut bei Eisenmangel.

Vitamine sind lebenswichtige Stoffe, die dem Körper mit der Nahrung zugeführt werden müssen. Vitamin C steigert die Leistungsfähigkeit des Menschen und erhöht seine Abwehrkräfte gegen Krankheitserreger. Es ist in Obst und Gemüse enthalten.
Außerdem darfst du nicht vergessen, ausreichend Flüssigkeit (ca. 2 Liter pro Tag) zu trinken.

Ballaststoffe regen die Darmtätigkeit an

Ballaststoffe sind unverdauliche Bestandteile von Nahrungsmitteln, wie z. B. von Obst, Gemüse und Getreide.

Enthält die Nahrung zu wenig Ballaststoffe, kann es zu einer Störung der Darmtätigkeit kommen, zu Verstopfung und Bauchschmerzen. Daher sollten ballaststoffreiche Nahrungsmittel auf deinem Speiseplan stehen: Das sind zum Beispiel Vollkornbrot, Müsli, Haferflocken, frisches Obst und Salate.

Achte auf ausgewogene Ernährung!

Ernährung muss vor allem abwechslungsreich sein. Viele Menschen essen zu fett und zu süß. Nicht benötigte Energie wird vom Körper in Form von Fettpolstern gespeichert. Diese behindern dich in deinen Bewegungen und belasten dein Herz.

3 Gut zusammengestellte Mahlzeit

4 Schlecht zusammengestellte Mahlzeit

1 Vergleiche die beiden Bilder auf dieser Seite. Begründe, weshalb die eine Mahlzeit gut, die andere aber schlecht zusammengestellt ist. Lies dafür noch einmal den Abschnitt „Achte auf ausgewogene Ernährung!“ auf dieser Seite.

Jetzt weiß ich´s !

Dein Körper braucht immer **Energie**, auch wenn du dich nicht bewegst (für die Aufrechterhaltung der Körpertemperatur, der Atmung, des Blutkreislaufs etc.). Die Nahrung enthält Nährstoffe, Mineralstoffe, Spurenelemente, Vitamine und Ballaststoffe.
Achte auf folgende **Ernährungsregeln**:

- Zu viel ist ungesund!
- Der Nahrungsbedarf soll auf etwa fünf Mahlzeiten verteilt werden.
- Die Mahlzeiten sollen ausgewogen sein.
- Achte darauf, dass du genügend Flüssigkeit, mindestens 2 Liter, pro Tag trinkst.

Die Verdauungsorgane

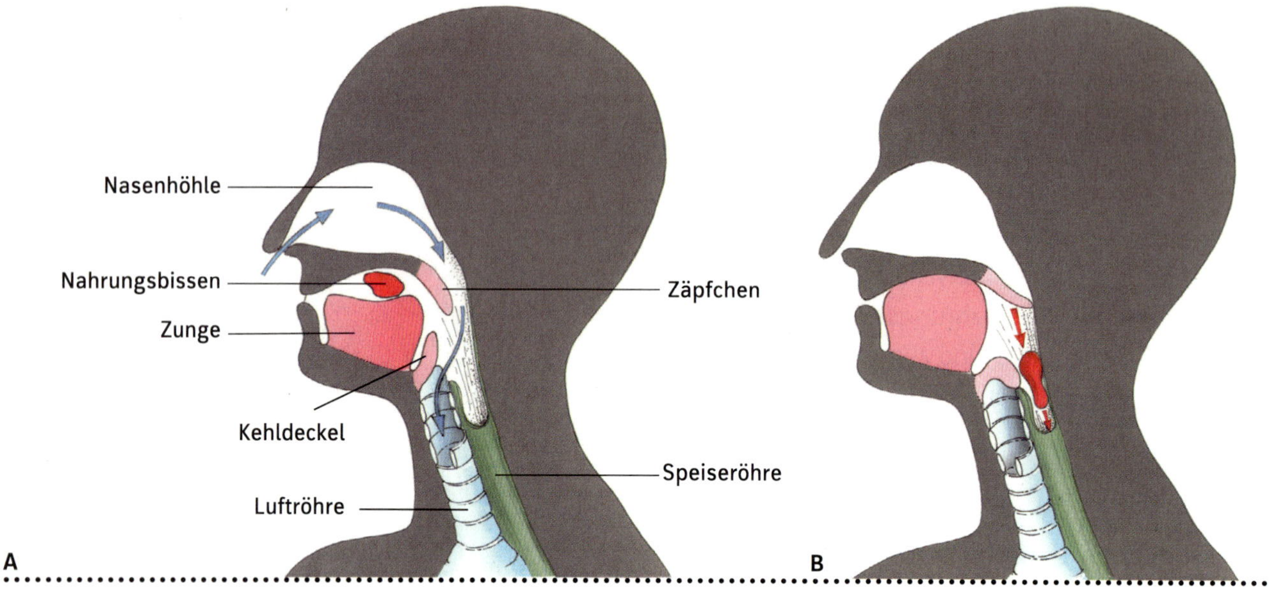

A Der Weg der Luft; B Der Weg der Nahrung.

Wie verdaut dein Körper das Jausenbrot, das du in der Pause gegessen hast?

Im Mund wird vorverdaut

Wenn du kaust, wird die Nahrung im Mund durch die Zähne zerkleinert und mit Speichel durchmischt. Der Speichel macht den Bissen gleitfähig. Er sorgt aber auch dafür, dass die Nahrung vorverdaut wird. Das Kohlenhydrat Stärke in deinem Brot wird in kleinere Bausteine zerlegt. Der zerkleinerte und eingespeichelte Bissen wird geschluckt. Er rutscht in einen Muskelschlauch, die Speiseröhre. Ihre Wände drücken die Nahrung durch wellenförmige Muskelbewegungen in den Magen.

Der Magen – ein kräftiges Verdauungsorgan

Im Magen können bis zu zwei Liter Nahrungsbrei aufgenommen werden. Die Magenwände bestehen aus einer kräftigen Muskulatur. Der Brei wird vermischt, durchgeknetet und weiter verdaut. Dafür sondern viele kleine Drüsen in der Magenschleimhaut Magensaft ab, täglich etwa zwei Liter. Dieser tötet viele Bakterien ab und zerlegt das Eiweiß der Nahrung in kleinere Bestandteile. Am Magenausgang lässt ein ringförmiger Muskel den Nahrungsbrei in kleinen Portionen in den Darm.

Im Darm wird fertig verdaut

Der 3 bis 4 Meter lange Dünndarm beginnt mit dem Zwölffingerdarm. In diesen münden zwei wichtige Verdauungsdrüsen: die Leber und die Bauchspeicheldrüse. Die Leber erzeugt den Gallensaft, der in der Gallenblase gespeichert wird. Der Gallensaft zerteilt Fett in kleine Tröpfchen. Die Bauchspeicheldrüse sondert den Bauchspeichel ab. Drüsen des Zwölffingerdarms erzeugen den Darmsaft.
Bauchspeichel und Darmsaft zerlegen alle bisher noch nicht verarbeiteten Fette, Eiweiße und Kohlenhydrate in kleine Bausteine, sodass diese vom Körper aufgenommen werden können. Sie werden im Dünndarm durch die Darmzotten ins Blut aufgenommen. Mithilfe des Blutes werden die Bausteine durch den Körper transportiert. Unverdauliche Reste werden in den Dickdarm befördert, wo dem flüssigen Brei viel Wasser entzogen wird.

Ausscheidungsorgane

Im letzten Abschnitt des Dickdarms, dem Mastdarm, sammeln sich unverdauliche Reste. Wir scheiden sie durch den After als Kot aus.
Der Körper scheidet auch flüssige Abfallstoffe aus. Die beiden Nieren filtern diese aus dem Blut. Als Harn oder Urin werden sie dann zusammen mit Wasser ausgeschieden.

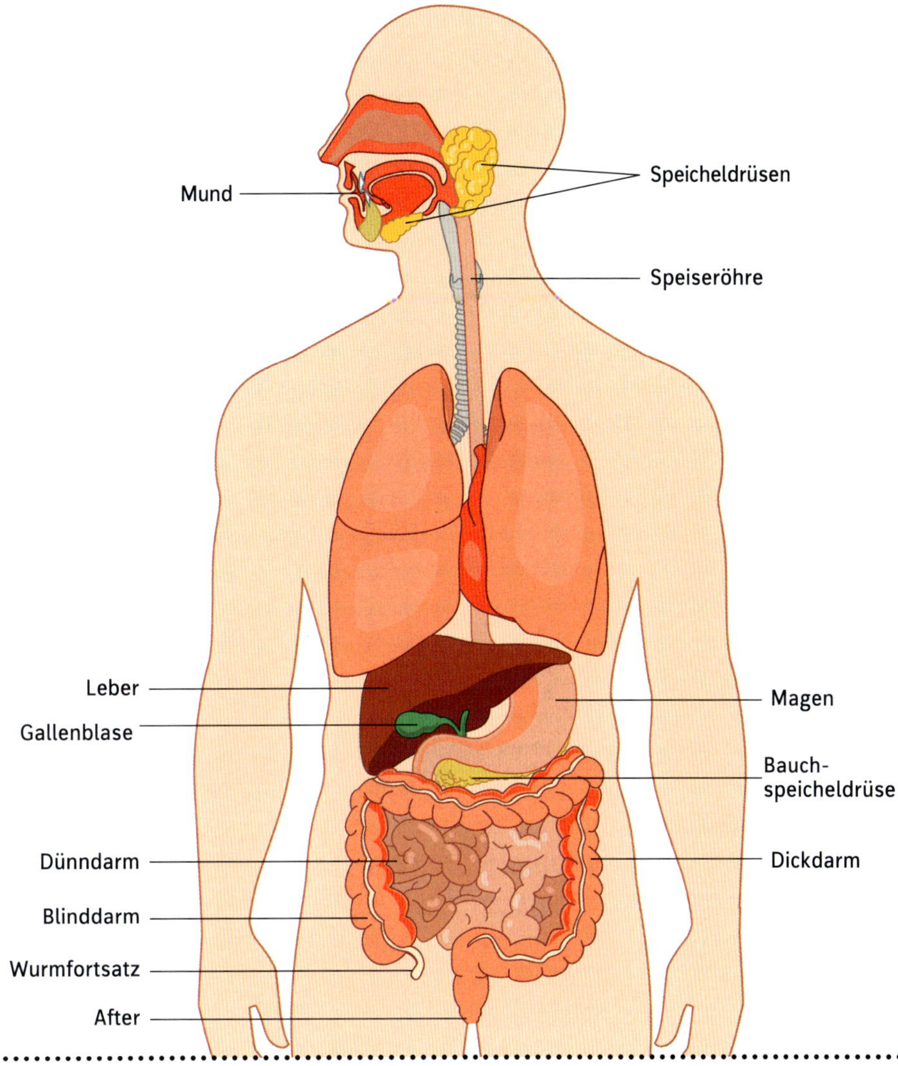

2 Die Verdauungsorgane

1 Überprüfe, ob du z. B. auch im Kopfstand einen Bissen problemlos schlucken kannst. Beschreibe, was passiert.

Jetzt weiß ich´s!

Mund: Die Nahrung wird zerkleinert und mit Speichel durchmischt. Dabei wird Stärke in kleinere Bausteine zerlegt.
Magen: Der Speisebrei wird durchgeknetet und mit Magensaft vermengt. Bakterien werden abgetötet. Eiweiß wird in kleinere Bestandteile zerlegt.
Zwölffingerdarm: Der Gallensaft zerteilt Fett in Tröpfchen; Bauchspeichel und Darmsaft zerlegen alle bisher unzerlegten Nährstoffe in ihre Bausteine.
Übriger Dünndarm: Durch die Darmzotten werden die Nährstoffe ins Blut aufgenommen.
Dickdarm: Dem flüssigen Brei wird Wasser entzogen.
Im **Mastdarm** wird der Kot gesammelt und durch den After ausgeschieden.
Die **Nieren** filtern flüssige Abbaustoffe aus dem Blut. Diese werden zusammen mit Wasser als Urin ausgeschieden.

Wie atmen wir?

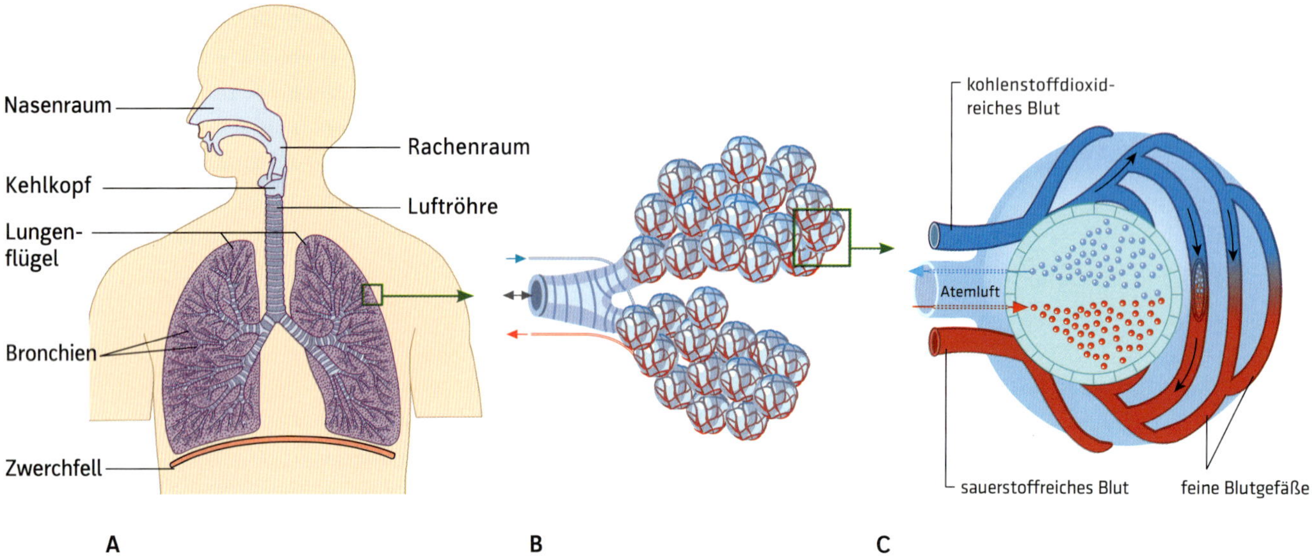

1 Die Atmungsorgane (A Lage im Körper; B Ende der Bronchien (Lungenbläschen), C Gasaustausch in einem Lungenbläschen)

Die Nase hat wichtige Aufgaben

Wenn du dich anstrengst, atmest du meist durch den geöffneten Mund. Gesünder ist es jedoch, durch die Nase zu atmen. Deine Nase wirkt für die Atemluft wie ein Filter. Sie ist mit einer Nasenschleimhaut ausgekleidet, die feucht ist und dadurch Staubteilchen festhält. Gleichzeitig wird die eingeatmete Luft angefeuchtet und durch die Blutgefäße in der Nasenschleimhaut auf Körpertemperatur erwärmt. Mithilfe von Sinneszellen können wir riechen.

Der weitere Weg der Atemluft

Die Atemluft kommt durch Rachen und Kehlkopf in die Luftröhre. An ihrem unteren Ende teilt sich die Luftröhre in zwei Äste, die Bronchien. Diese verzweigen sich in immer feinere Röhrchen. Die Röhrchen enden in über 300 Millionen Lungenbläschen, in denen der Gasaustausch stattfindet.

Gasaustausch in den Lungenbläschen

Für alle deine Stoffwechselvorgänge im Körper wie Verdauung und Atmung brauchst du Sauerstoff. Die Lungenbläschen haben eine sehr dünne Haut. Diese ist von einem Netz aus feinsten Blutgefäßen umgeben. Wenn du einatmest, strömt sauerstoffreiche Luft in die Lunge. Der Sauerstoff gelangt durch die Haut der Lungenbläschen und die dünne Wand der Blutgefäße ins Blut. Darin wird der Sauerstoff durch den Körper transportiert.

Gleichzeitig gelangt Kohlenstoffdioxid vom Blut in die Lungenbläschen. Mit der Luft, die du ausatmest, wird es nach außen abgegeben. Die ausgeatmete Luft ist sauerstoffarm, aber kohlenstoffdioxidreich.

Bauchatmung

Das Zwerchfell, eine Muskelschicht, die Brust- und Bauchraum voneinander trennt, sorgt für die Atembewegung bei der Bauchatmung. Das Zwerchfell zieht sich beim Einatmen zusammen. Dadurch wird der Raum zwischen Zwerchfell und Brustwand größer. Die Lunge kann sich ausdehnen und füllt sich mit Luft. Beim Ausatmen entspannt sich das Zwerchfell wieder. Die Lunge wird kleiner und presst die Luft wieder hinaus.

Brustatmung

Atmest du ein, heben Muskeln den Brustkorb an. Die Lunge wird gedehnt. Dadurch kann Luft in die Lungenflügel einströmen.
Beim Ausatmen entspannen sich die Muskeln, der Brustkorb senkt sich und die Lungenflügel werden wieder kleiner. Luft wird ausgeatmet. Diese Art der Atmung nennt man Brustatmung.

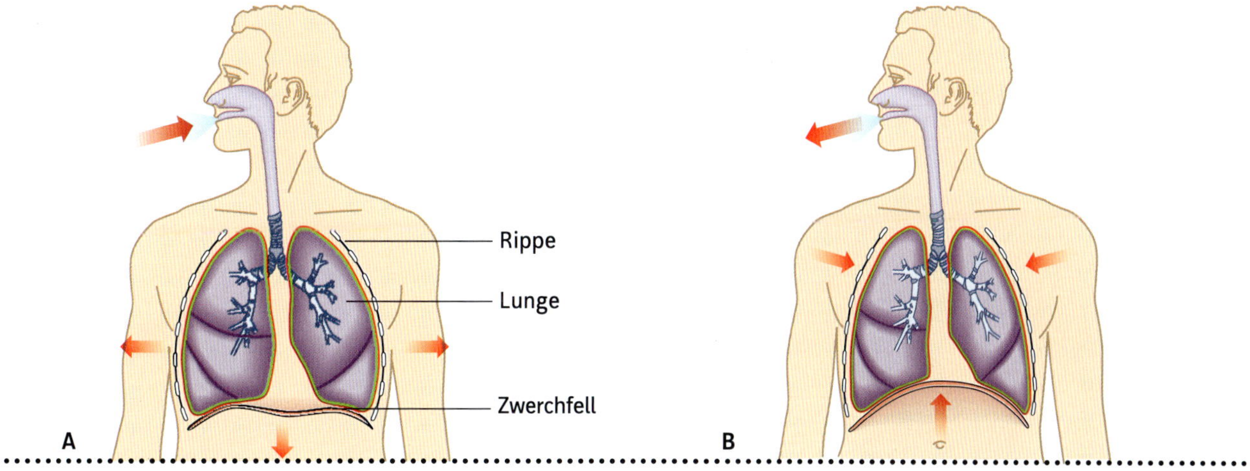

2 Bauchatmung (A Einatmen; B Ausatmen)

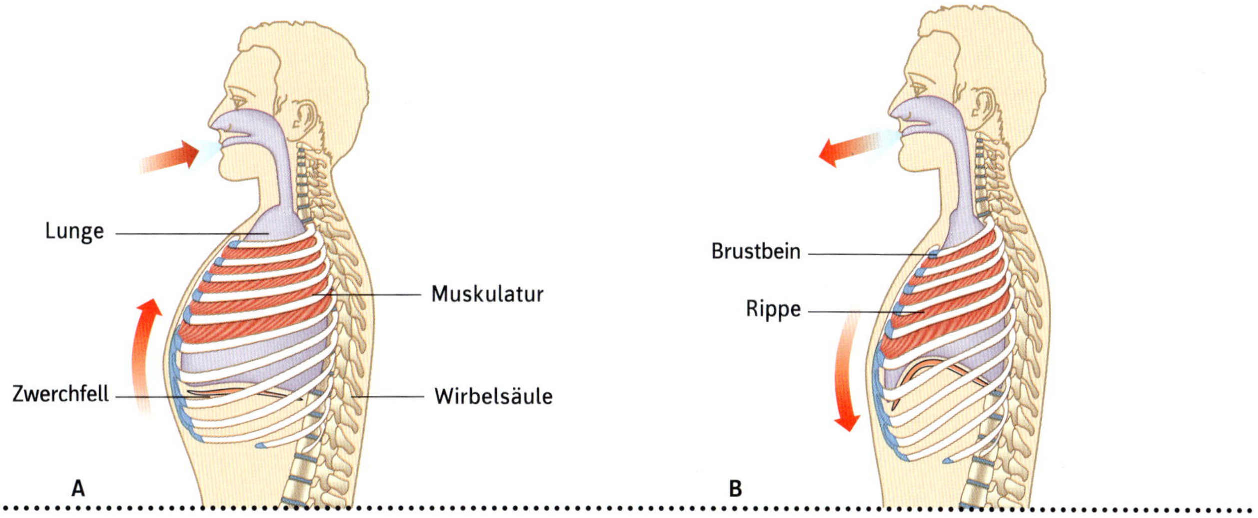

3 Brustatmung (A Einatmen; B Ausatmen). Die roten Pfeile vor der Brust bedeuten, dass sich der Brustkorb hebt und senkt.

1 Lege ein Maßband um deinen Brustkorb. Atme tief ein und miss deinen Brustumfang. Atme anschließend aus und miss noch einmal. Vergleiche die Werte. Warum sind die Werte verschieden? Vergleiche mit den Abbildungen 2 und 3.

2 Klassen- und Wohnräume sollen regelmäßig gelüftet werden. Bestimmt hast du schon einmal erlebt, wie man sich in einem schlecht gelüfteten Raum fühlt. Berichte.

Jetzt weiß ich´s !

Durch **Nase**, **Kehlkopf**, **Luftröhre** und die Äste der **Bronchien** gelangt die sauerstoffreiche Atemluft in die **Lungenbläschen**. Hier erfolgt ein Gasaustausch: Das Blut nimmt Sauerstoff auf und gibt Kohlenstoffdioxid ab. Dieses wird ausgeatmet. Wir unterscheiden zwischen **Brust-** und **Bauchatmung**.

Mit unseren Sinnen nehmen wir unsere Umwelt wahr

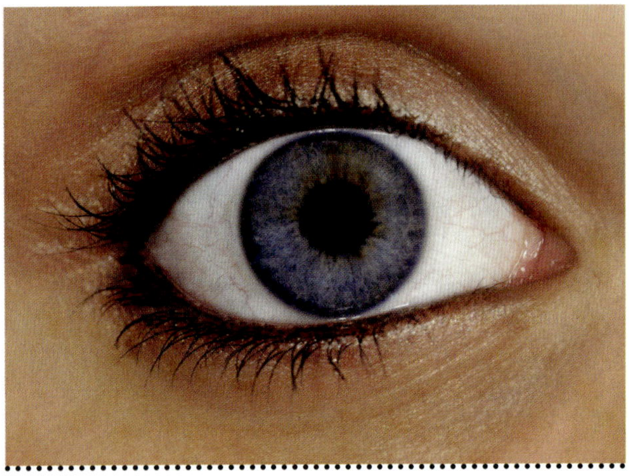

1 Äußerer Bau des Auges

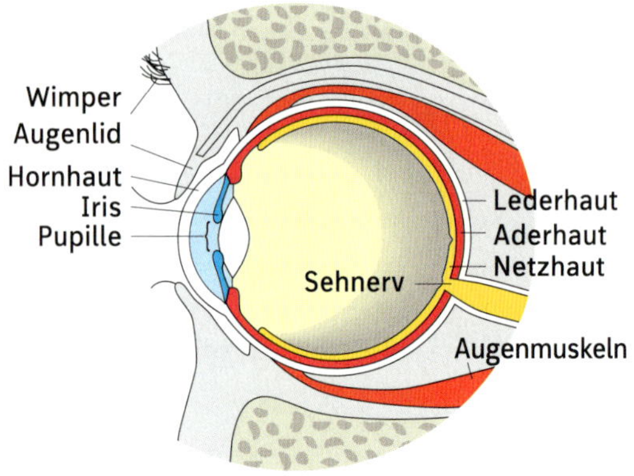

2 Innerer Aufbau des Auges

Das Auge und seine Schutzeinrichtungen

Das Auge ist ein sehr empfindliches Organ. Daher muss es gut geschützt werden:

- Es liegt gut geschützt in der knöchernen Augenhöhle, wo es mit Muskeln befestigt ist.
- Vor grellem Licht und vor Staub schützen Lider und Wimpern.
- Um zu verhindern, dass Schweiß in das Auge gelangt, haben wir Augenbrauen, die den Schweiß abhalten.
- Damit das Auge nicht austrocknet, wird in den Tränendrüsen die Tränenflüssigkeit erzeugt. Diese hält das Auge feucht und entfernt Staub, der in das Auge geraten ist.

Bau und Funktion des Auges

Mithilfe des Sehsinnes bekommst du ein Bild von deiner Umgebung. Du siehst Farben und Grautöne. Damit du etwas siehst, muss vorne am Auge Licht durch die Hornhaut in das Sehloch, die Pupille, gelangen. Diese ist von der farbigen Iris umgeben. Sie reguliert mithilfe eines Muskels den Lichteinfall in das Auge.

Hinter der Pupille befindet sich die Linse. Diese sorgt dafür, dass du scharf siehst. Die Lichtstrahlen treffen auf die Linse. Sie durchdringen die Linse, den Glaskörper und treffen dann auf die Netzhaut. In dieser befinden sich Lichtsinneszellen. Werden diese durch Lichtstrahlen gereizt, leiten sie Signale an den Sehnerv weiter. Dieser leitet die Signale in das Gehirn, wo die Information verarbeitet wird. So entsteht im Kopf ein Bild von deiner Umwelt.

Die Nase – unser Geruchsorgan

In jedem unserer zwei Nasenflügel befindet sich eine Riechschleimhaut mit Riechzellen. Gelangen gasförmige Stoffe auf die Riechschleimhaut, erzeugen die Riechzellen Signale. Diese werden durch den Riechnerv an das Gehirn geleitet. Du riechst.

Die Zunge – unser Geschmacksorgan

Auf unserer Zunge befinden sich Sinneszellen (Geschmacksknospen). Umami, auf deutsch „köstlich“, wird das pikante und würzige Aroma in Japan genannt. Heute gilt Umami als fünfte Grundgeschmacksrichtung neben salzig, sauer, süß und bitter. Die Geschmacksrichtungen werden von den Sinneszellen in Signale umgewandelt, die vom Geschmacksnerv an das Gehirn geleitet werden.

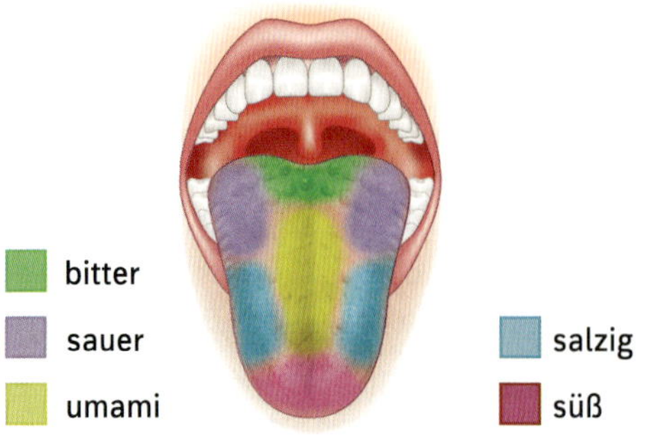

3 Wo wir was auf unserer Zunge schmecken

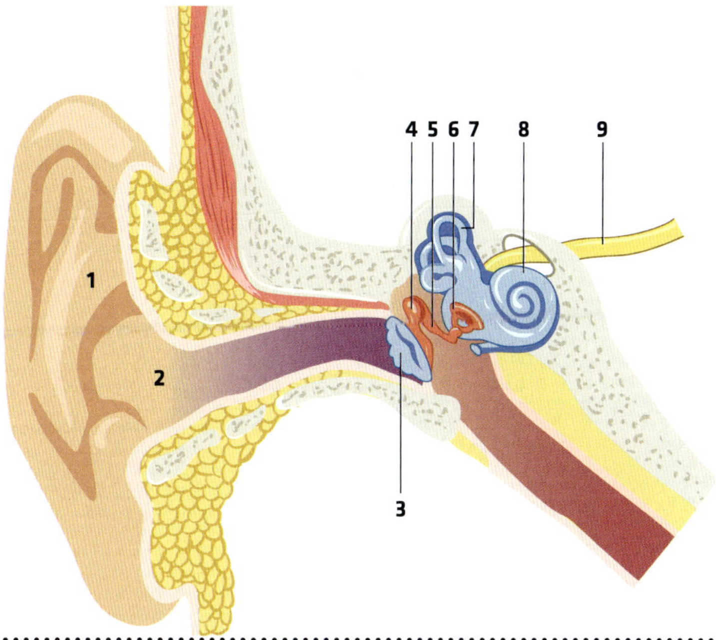

4 Aufbau des Ohrs. 1 Ohrmuschel, 2 Gehörgang, 3 Trommelfell, 4-6 Gehörknöchelchen, 7 bogenförmige Gänge, 8 Schnecke, 9 Hörnerv

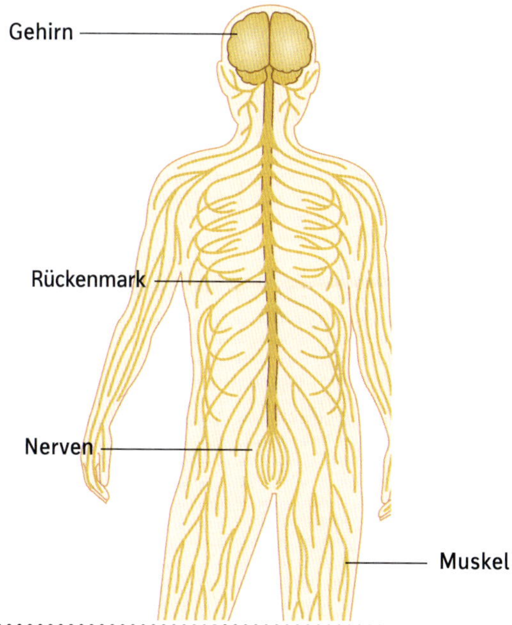

5 Nervensystem des Menschen

Die Haut – unser Tastorgan

Die Haut ist unser größtes Sinnesorgan mit vielen unterschiedlichen Aufgaben. Du spürst zum Beispiel, ob etwas rau oder glatt, warm oder kalt ist. Du nimmst Schmerzen wahr. Außerdem schützt dich die Haut vor Krankheitserregern und vor Kälte, aber auch vor Verletzungen an besonders beanspruchten Körperstellen (z. B. den Fußsohlen), wo die Haut deshalb verdickt ist.

Die Ohren – Weg einer Schallwelle

Musik, Sprache, Geräusche usw. versetzen die Luft in Schwingungen. Man nennt sie Schallwellen. Mit unseren Ohrmuscheln werden diese Wellen aufgfangen. So gelangen sie in unseren Gehörgang. Durch den Gehörgang gelangen sie zum Trommelfell, einem sehr feinen, elastischen Häutchen. Dieses beginnt daraufhin zu schwingen und überträgt die Schwingungen an die drei Gehörknöchelchen. Diese geben die Schwingungen an die Schnecke weiter. In dieser befinden sich eine Flüssigkeit und Sinneszellen. Wird die Flüssigkeit durch Schwingungen bewegt, werden dadurch die Sinneszellen gereizt. Diese leiten Signale durch den Hörnerv an das Gehirn weiter. Du hörst.

Der Gleichgewichtssinn sitzt im Ohr

Neben der Schnecke liegen bogenförmige Gänge. Diese sind mit einer speziellen Flüssigkeit gefüllt. Bei Bewegungen wie Tanzen, Drehen etc. wird diese Flüssigkeit bewegt und reizt bestimmte Sinneszellen. Dadurch nimmst du zum Beispiel wahr, dass du dich drehst.

Das Nervensystem

Unser Nervensystem besteht aus dem Gehirn, dem Rückenmark und den Nerven. Nerven ziehen durch unseren ganzen Körper. Sie sind durch das Rückenmark mit dem Gehirn verbunden. Durch unsere Sinnesorgane nehmen wir aus der Umwelt Reize (Bilder, Töne, Düfte etc.) auf. Aber sehen, riechen, hören, schmecken oder tasten können wir erst, sobald diese Signale durch die Nerven an unser Gehirn weitergeleitet wurden.

Jetzt weiß ich´s!

Mithilfe unserer **5 Sinnesorgane** – **Augen**, **Ohren**, **Nase**, **Zunge** und **Haut** – nehmen wir unsere Umwelt wahr. **Gehirn**, **Rückenmark** und **Nerven** bilden unser **Nervensystem**. Erst wenn die Signale durch die Nerven unser Gehirn erreicht haben, können wir sehen, riechen, hören, schmecken oder tasten.

Mädchen entwickeln sich zu Frauen, Buben zu Männern

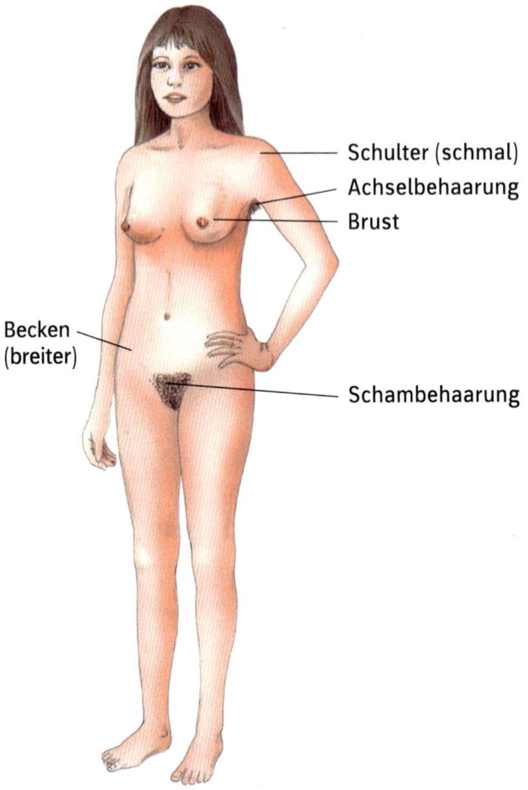

1 Äußere Geschlechtsmerkmale der Frau

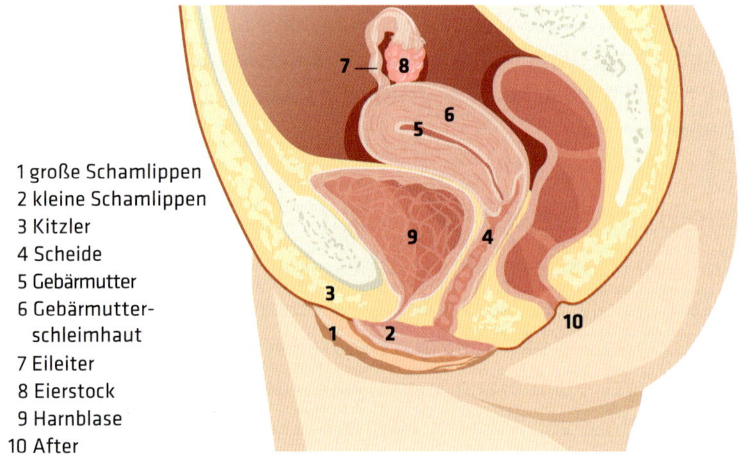

2 Lage der weiblichen Geschlechtsorgane

Zwischen dem 11. und 15. Lebensjahr, der Reifezeit oder Pubertät, entwickeln sich Mädchen zu Frauen und Buben zu Männern.

Äußerliche Veränderungen während der Pubertät

Bei den Mädchen nehmen vor allem Hüften und Oberschenkel rundlichere Formen an. Das Becken und die Hüften werden breiter. Die Brust beginnt zu wachsen. Da der Kehlkopf wächst, entwickelt sich die Mädchenstimme zur Frauenstimme.
Auch bei den Buben verändert sich der Körper. Die Schultern verbreitern sich, das Becken bleibt jedoch schmal. Der Bart beginnt zu wachsen. Der Kehlkopf erweitert sich bei Buben stärker als bei Mädchen. Dadurch kommt es zum Stimmbruch, die Stimme wird tiefer. Sowohl bei den Mädchen als auch bei den Buben beginnen die Schamhaare und die Körperhaare zu wachsen.
Die Talgdrüsen erzeugen mehr Fett als bisher. Das Fett kann die Hautporen verstopfen. Die Haut entzündet sich und es können Pickel entstehen.
Die Auslöser der Veränderungen sind Hormone, Botenstoffe im Körper.

Eine Eizelle reift heran

Jede Frau hat zwei Eierstöcke, in denen sich über 200 000 nicht mit freiem Auge sichtbare Eizellen befinden. Jeden Monat reift in einem der beiden Eierstöcke eine Eizelle heran. Ist die Eizelle reif, kommt es zum Eisprung. Die Eizelle wird aus dem Eierstock in den Eileiter ausgestoßen. Sie wandert Richtung Gebärmutter. Wird sie auf ihrem Weg von einer Samenzelle befruchtet, wandert die befruchtete Eizelle in die Gebärmutter und nistet sich dort in die Gebärmutterschleimhaut ein. Diese kleidet die Gebärmutter innen aus. Ein neuer Mensch wächst heran.

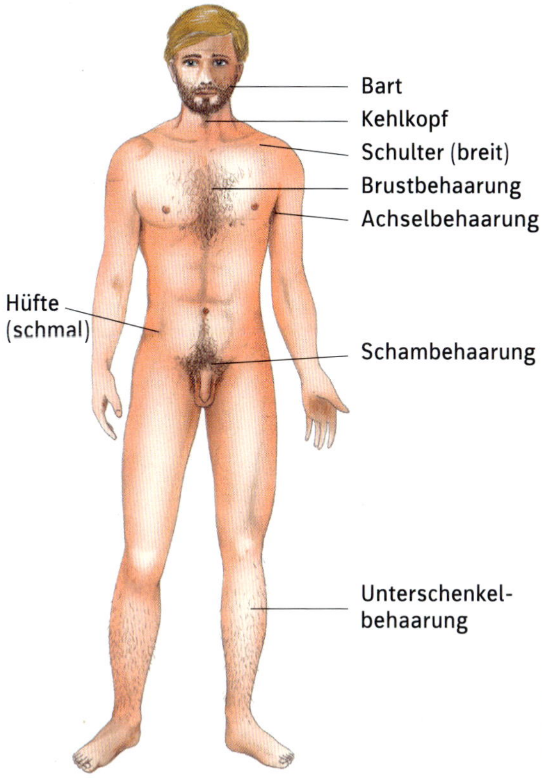

3 Äußere Geschlechtsmerkmale des Mannes

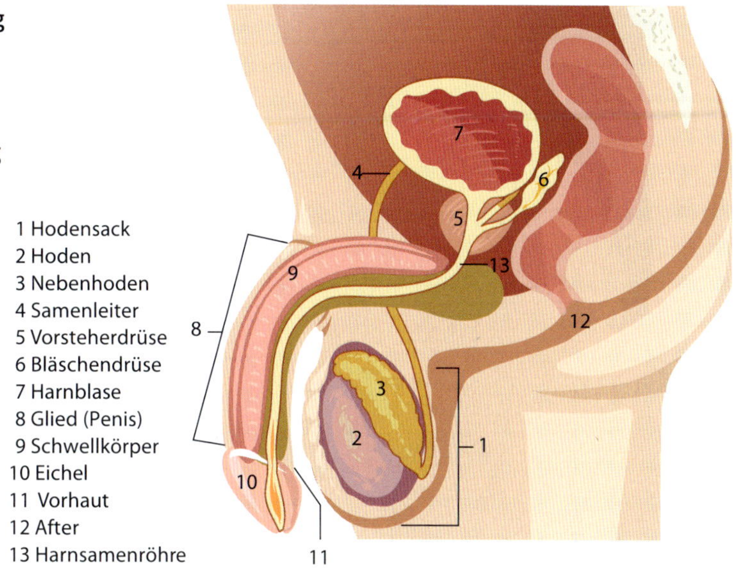

4 Lage der männlichen Geschlechtsorgane

Die Regelblutung

Wird die Eizelle auf dem Weg zur Gebärmutter nicht befruchtet, stirbt sie ab. Sie wird mit Blut und Resten der Gebärmutterschleimhaut durch die Scheide nach außen abgegeben. Diese Regelblutung dauert rund vier bis fünf Tage. In dieser Zeit reift wieder eine Eizelle heran. Dieser Ablauf wiederholt sich etwa alle 25–35 Tage.

Das Heranreifen der Samenzellen

Beim Buben werden Glied und Hoden während der Pubertät größer. In den beiden Hoden reifen immer neue Samenzellen (Spermien) heran. Sie werden in den Nebenhoden gespeichert. Sind die Nebenhoden gefüllt, werden die Samenzellen durch den Samenleiter in die Harnsamenröhre mit einer Flüssigkeit aus der Vorsteherdrüse und den Bläschendrüsen ausgestoßen. Man spricht vom Samenerguss.

Mit Beginn der Pubertät wird das Glied häufiger steif, weil sich das Blut in den Blutgefäßen der Schwellkörper staut. Fließt das gestaute Blut wieder ab, erschlafft das Glied.

Seelische Veränderungen bei Buben und Mädchen

Neben den körperlichen Veränderungen bewirken Geschlechtshormone seelische Veränderungen. Die Jugendlichen sind oft bedrückt, nichts will ihnen gelingen. Solche Gefühlszustände sind in der Pubertät durchaus normal. Oft kommt es zu Konflikten mit den Eltern und den Geschwistern und zu Stimmungsschwankungen. Zum Beispiel bist du lustig und dann plötzlich betrübt. Die Jugendlichen fühlen sich oft nicht verstanden. Sie eifern Idolen wie Popstars nach, die zu ihren Vorbildern werden.

1. Während der Regel ist Hygiene (Sauberkeit) besonders wichtig. Informiere dich im Internet, was alles zu beachten ist.

2. Beim Mann hat mangelnde Hygiene im Bereich der Vorhaut und der Eichel gesundheitliche Folgen. Lies im Internet darüber nach.

Neues Leben entsteht

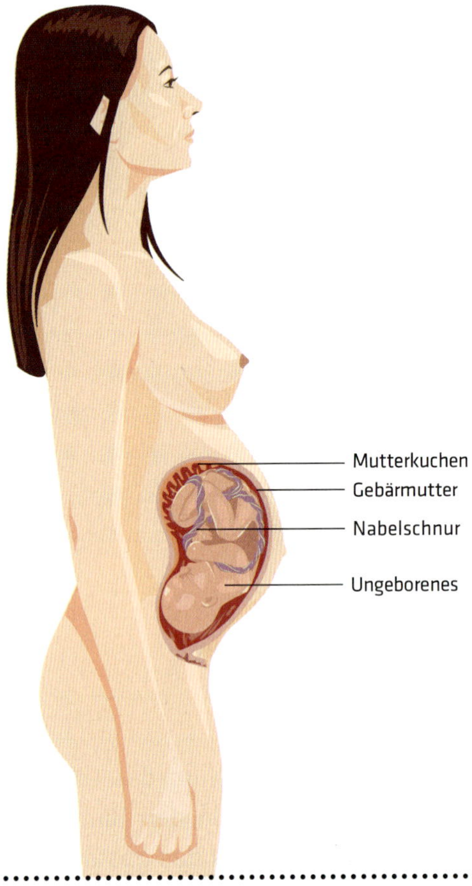

1 Die Lage des Ungeborenen im Körper der Mutter

Die Zeugung oder Befruchtung

Wenn Mann und Frau einander lieben, sind sie zärtlich zueinander und wünschen sich körperliche Nähe. Beim Geschlechtsverkehr dringt das Glied des Mannes in die Scheide der Frau ein. Dabei kommt es zum Samenerguss des Mannes. Es gelangen 200 bis 300 Millionen winzige Samenzellen in die Gebärmutter und von dort in beide Eileiter. Ist darin gerade eine reife Eizelle vorhanden, kann eine Samenzelle mit der reifen Eizelle verschmelzen. Dieser Vorgang heißt Befruchtung. Ein neuer Mensch kann sich entwickeln.

Die Schwangerschaft

Die befruchtete Eizelle nistet sich in der Gebärmutterschleimhaut ein. Die Frau ist schwanger. Ab nun dauert die Schwangerschaft etwa 9 Monate. Schon nach acht Wochen hat der Embryo alle Organe ausgebildet. Das Kind liegt geschützt in der mit Fruchtwasser gefüllten Fruchtblase. Die Nabelschnur verbindet Kind und Mutterkuchen. Dadurch wird es vom mütterlichen Körper ernährt und mit Sauerstoff versorgt. Leider gelangen auch Schadstoffe wie Alkohol in das Blut des Kindes. Alkohol und Nikotin vom Zigarettenrauchen sollte eine werdende Mutter unbedingt vermeiden!

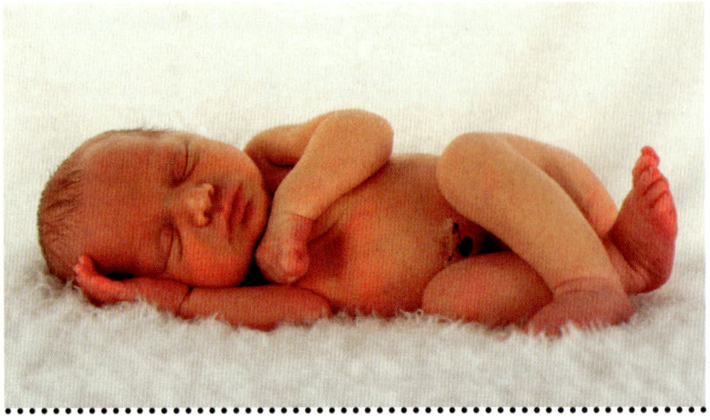

2 Kind nach dem Abbinden der Nabelschnur

Die Geburt kündigt sich an

Nach ungefähr neun Monaten kündigt sich die bevorstehende Geburt an. Die Wehen setzen ein. Dabei ziehen sich die Muskeln der Gebärmutter zusammen – anfangs leichter bis sie später das Kind allmählich aus dem Körper der Mutter drücken.

Der Geburtsvorgang

Die Geburt kann im Spital, in einer speziellen Gebärklinik oder zu Hause erfolgen. Dabei hilft eine Hebamme. Zu Beginn platzt die Fruchtblase und das Fruchtwasser fließt heraus. Das Baby wird meist mit dem Kopf voran geboren. Ein erster Schrei des Kindes ist ein Zeichen dafür, dass es selbstständig zu atmen begonnen hat. Der Vater, die Hebamme oder eine Ärztin/ein Arzt durchtrennt die Nabelschnur. Diesen Vorgang nennt man Abnabelung.

Ein Säugling braucht viel Liebe

Der Säugling wird von seiner Mutter gestillt. Diese mütterliche Nähe ist sehr wichtig. Schon wenige Tage nach der Geburt kann der Säugling die Stimme der Mutter von den Stimmen anderer Personen unterscheiden. Er reagiert auf ihr Lächeln und wendet ihr den Kopf zu. Diese enge Mutter-Kind-Beziehung, aber auch die liebevolle Beziehung zum Vater sind für die ungestörte Entwicklung des Kindes sehr wichtig.

Jetzt weiß ich´s!

Beim **Geschlechtsverkehr** gelangen Samenzellen bis in die Eileiter. Bei der **Befruchtung** verschmelzen eine Eizelle und eine Samenzelle. Die befruchtete Eizelle nistet sich in der Gebärmutterschleimhaut ein. Die **Schwangerschaft** beginnt. Wenn die Wehen einsetzen, beginnt der Geburtsvorgang. Nach der **Geburt** wird das Kind abgenabelt.

Sexueller Missbrauch

Wer dich anfassen darf, bestimmst nur du!

Schlagzeilen wie aus dem folgenden Zeitungsartikel findet man immer wieder in Tageszeitungen. Meist gehen Kinder nach so einem schrecklichen Erlebnis mit den Eltern zur Polizei und erstatten Anzeige. Zwar sind es fast immer Männer, die Mädchen oder auch Buben belästigen oder sexuell missbrauchen, aber nur selten ist es ein ganz fremder Mann. Viel öfter sind es Männer oder ältere Burschen aus dem Bekanntenkreis, ja sogar aus der eigenen Familie. Meist geschieht es in einer vertrauten Wohnung. Mädchen oder Buben, die sexuell missbraucht werden, haben Angst, darüber zu reden. Sie fürchten, dass ihnen niemand glaubt und müssen den Tätern oft versprechen, niemandem etwas zu erzählen. Doch es ist sehr wichtig, darüber zu reden.

Berührungen und Zärtlichkeiten können schöne Gefühle auslösen. Wenn sie aber unangenehm sind, denke an Folgendes:

- Du allein hast das Recht zu bestimmen, wer dich anfassen darf und wer nicht!
- Du hast das Recht, alle Zärtlichkeiten und Berührungen, die du nicht magst, sehr deutlich abzulehnen!
- Du hast das Recht, unheimliche, merkwürdige oder unangenehme Geheimnisse zu erzählen, auch wenn du versprochen hast, es nicht zu tun!

Mädchen belästigt!

Wien. – Von einem Unbekannten wurde am Montagnachmittag eine 11-jährige Schülerin belästigt, als sie von der Schule nach Hause ging. In der Gartenstraße merkte sie, dass ihr ein fremder Mann folgte. Nach der Unterführung hielt er das Mädchen am Arm fest und berührte es unsittlich. Als die 11-Jährige schrie und sich wehrte, ließ der Mann sie los und flüchtete.

Folgende Stellen bieten Hilfe an:

➡ Telefonseelsorge	142
➡ Rat auf Draht	147
➡ HAPPY KIDS	00431503 8888
➡ Kids Line	0800 234 123
➡ Krisenstelle für Kinder und Jugendliche (KOKO)	0662 453266

Geheimschrift

Jedes Symbol steht für einen bestimmten Buchstaben. Wenn du die Symbole durch die richtigen Buchstaben ersetzt, ergibt sich ein Merktext zu deinem Körper.

Me☺n Körper ✪nd ☺ch

Me☺n Körper kann v☺e🖐 🖐e☺sten, 🕮enn ☺ch m☺ch 🌢✪t

✪m ☺hn kümmere – Sport ❖etre☺❖e, m☺ch a✪s🌢e🕮o🌢en

ernähre ✪nd m☺ch pf🖐e🌢e.

Er ☺st ■✪ ersta✪n🖐☺ch v☺e🖐en ❖e🕮e🌢✪n🌢en fäh☺🌢!

Dam☺t me☺ne M✪ske🖐n ✪nd 🌢e🖐enke 🌢es✪nd ❖🖐e☺❖en,

m✪ss ☺ch s☺e re🌢e🖐mäß☺🌢 ❖e🕮e🌢en.

🌢ena✪so 🕮☺cht☺🌢 ☺st e☺ne a❖🕮echs🖐✪n🌢sre☺che

Ernähr✪n🌢! 🕮enn me☺nem Körper ke☺ne 🕮☺cht☺🌢en

Nährstoffe feh🖐en, ❖🖐e☺❖t er a✪ch 🖐e☺st✪n🌢sfäh☺🌢.

A✪ßerdem ☺st es sehr 🕮☺cht☺🌢, me☺nen Körper ■✪

pf🖐e🌢en, m☺ch re🌢e🖐mäß☺🌢 ■u 🕮aschen ✪nd me☺ne

■ähne mehrma🖐s tä🌢🖐☺ch r☺cht☺🌢 ■u p✪t■en.

🖐 = ___ 🌢 = ___ ■ = ___ ☺ = ___ ✪ = ___ ❖ = ___ 🕮 = ___

Bei jedem Wort fehlt der Anfangsbuchstabe. Ersetze auch hier jedes Symbol durch einen bestimmten Buchstaben. So erhältst du einen interessanten Hinweis. Schreibe ihn darunter auf.

🕮er 💧esund ❖leibt, ☺st ✋ebensfroh ✪nd ■ufrieden!

____

!!

Zusammengesetzte Wörter

Erweitere jeweils das linke und das rechte Wort durch ein Wort in der Mitte.
Das rechte Wort und das Wort in der Mitte ergeben dadurch ein zusammengesetztes Wort. Auch das Wort in der Mitte und das linke Wort ergeben dann zusammen ein Wort (z. B. SCHNEIDE – ZAHN – PFLEGE: Schneidezahn, Zahnpflege).
Die Buchstaben auf den roten Linien ergeben der Reihenfolge nach das Lösungswort.

WADEN	_ _ _ _	VERLETZUNG
BRUST	_ _ _ _ _ _	SÄULE
NEBEN	_ _ _ _ _	SACK
GESICHTS	_ _ _ _ _ _ _	KNOCHEN
GELENKS	_ _ _ _	SKELETT
HYGIENE	_ _ _ _ _	BLUTUNG
UNTER	_ _ _ _ _ _	KNOCHEN
ZAHN	_ _ _ _ _ _	HAUT

Lösungswort: _ _ _ _ _ _ _ _

Der Hund – das älteste Haustier des Menschen

1 Deutscher Schäferhund

2 Wölfe

Alle Hunderassen stammen vom Wolf ab

Vor 10 000 Jahren begann der Mensch, Wölfe zu zähmen. Hungrige Wölfe folgten wahrscheinlich den Steinzeitmenschen, wenn diese jagten. Die Wölfe suchten die Nähe der Menschen und ihrer Lagerplätze. Sie wurden immer zutraulicher. So entwickelte sich aus dem wild lebenden Wolf der zahme Hund. Der Mensch hat bisher über 400 Hunderassen gezüchtet.

Der Wolf ist ein Hetzjäger

Kräftige Muskeln machen den Wolf zu einem ausdauernden Läufer. Er kann einer aufgespürten Beute durch seine kräftigen Laufbeine über weite Strecken hinterherhetzen.

Wölfe leben in Rudeln

Wölfe leben im Rudel, in dem eine strenge Rangordnung herrscht. Der Leitwolf übernimmt die Führung, der sich alle Rudelwölfe unterordnen.
Für den Hund ist die Familie, die ihn betreut, sein Rudel. Die Herrin oder der Herr sind für ihn der „Leithund".

Der Hund ist ein Nasentier

Der Hund hat einen viel besseren Geruchssinn als der Mensch. Während der Mensch seine Umgebung vor allem mit den Augen wahrnimmt, verlässt sich der Hund auf seine Nase. Er kann mit seiner immer feuchten Nase Gerüche verfolgen, wie es uns Menschen nie möglich wäre.

Der Hund ist ein Ohrentier

Schon von weitem erkennt ein Hund den Schritt seiner Herrin oder seines Herrn, ohne sie oder ihn zu sehen. Er reagiert außerdem auf sehr hohe Töne, die wir Menschen nicht mehr wahrnehmen können. Der Hund kann also auch viel besser hören als wir.

Der Hund ist ein Zehengänger

Beim Laufen tritt er nur mit den Zehen auf. Die polsterartigen Ballen sind mit harter Hornhaut überzogen und schützen den Fuß vor Verletzungen. Da die Krallen nicht eingezogen werden können, nützen sie sich beim Laufen ab und sind stumpf.

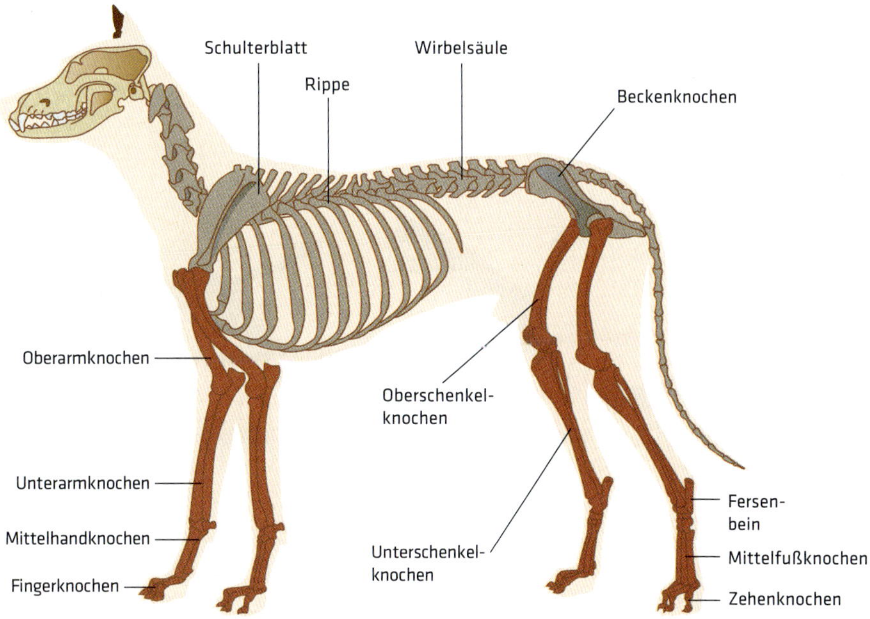

3 Skelett des Hundes

Der Hund hat ein Raubtiergebiss

Der Hund braucht als Fleischfresser vor allem Fleischnahrung. Mit seinem Raubtiergebiss (lange, dolchartige Eck- oder Fangzähne, starke Reißzähne) kann er Fleischbrocken zerteilen und harte Knochen mühelos zerbeißen.

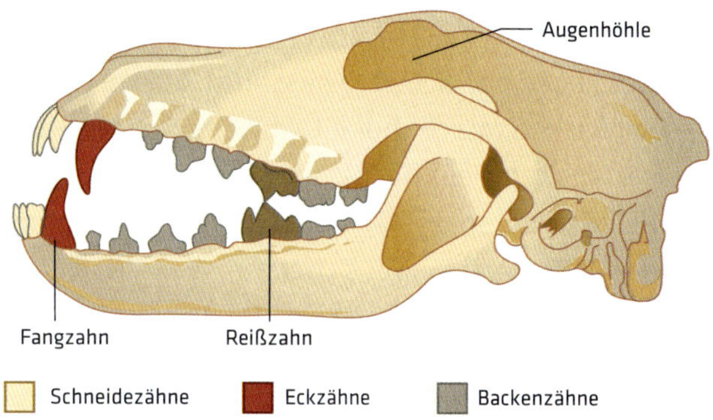

4 Schädel und Raubtiergebiss des Hundes

1 Zähle alle Hunderassen, die du kennst, auf. Überlege dir, welche besonderen Merkmale und Fähigkeiten jede Rasse hat.

2 Der Schäferhund heißt auch Wolfshund. Die Abbildungen 1 und 2 helfen dir, diese Behauptung zu erklären.

3 Vergleiche die Gliedmaßen von Mensch und Hund. Verwende dazu die Abbildung 1 auf Seite 8 und die Abbildung 3 auf dieser Seite. Suche Gemeinsamkeiten und Unterschiede.

Hunde übernehmen verschiedene Aufgaben

Hunde werden vom Menschen für verschiedene Aufgaben erzogen. Vielleicht hast du schon einmal beobachtet, wie ein blinder Mensch mithilfe eines Blindenhundes geführt wird. Schlittenhunde können beladene Schlitten über weite Eis- und Schneeflächen ziehen. Jagdhunde stöbern zum Beispiel Wild auf und treiben es der Jägerin oder dem Jäger zu. Durch Lawinen verschüttete Personen können von Lawinenhunden aufgespürt werden.

Jetzt weiß ich´s !

Der Hund stammt vom **Wolf** ab. Der Hund dient dem Menschen auf verschiedene Weise (als Jagd-, Blinden-, Lawinenhund ...). Er hat einen besonders guten Geruchs- und Gehörsinn: Er ist ein **Nasen**- und **Ohrentier**. Er hat ein Raubtiergebiss. Da er nur mit den Zehen auftritt, wird er als **Zehengänger** bezeichnet.

Die Katze – ein Schleichjäger

1 Eine Katze fängt ihre Beute. Die junge Katze beobachtet gespannt. „Auf leisen Sohlen" schleicht sie unhörbar näher. Vor dem Sprung duckt sie sich und schiebt die Hinterbeine weit unter den Bauch. Der Rücken ist gewölbt. Die Schwanzspitze zuckt hin und her. Plötzlich der Sprung nach vorne: Sie hat die Maus gefangen.

Die Katze ist besonders beweglich

Die Katze bewegt sich sehr geschickt. Sie kann lautlos schleichen, macht hohe und weite Sprünge und klettert mühelos auf Bäume und Zäune. Fällt sie aus größerer Höhe, so dreht sie sich blitzschnell um ihre eigene Achse und landet sicher auf allen Vieren.

Die Katze kann ihre Krallen einziehen

Eine Katze stellt Mäusen, Ratten, Kaninchen, Eidechsen oder Fröschen nach. Sie ist ein Raubtier. Sie lauert, schleicht sich vorsichtig an und fängt die Beute im Sprung. Sie ist ein Schleichjäger. Während sich die Katze anschleicht, sind die Krallen eingezogen. Wenn sie die Beute fängt, fährt sie ihre Krallen aus. Sie tötet ihre Beute mit einem Nackenbiss.

Die Katze ist ein Nachtjäger

Katzen sehen in der Dämmerung und in der Nacht viel besser als wir. Das Auge ist ihr am besten entwickeltes Sinnesorgan. Am Tag verengt sich die Pupille zu einem schmalen, senkrechten Spalt. Wenn es zu dämmern beginnt, vergrößert sie sich zu einer weiten, kreisförmigen Öffnung. Dadurch fallen mehr Lichtstrahlen in das Auge. So kann die Katze auch im Dunkeln gut sehen. Außerdem hat das Katzenauge eine spiegelnde Schicht an der Augenrückseite. Das hilft zusätzlich. Gerät eine Katze bei Dunkelheit in ein Scheinwerferlicht, so leuchten ihre Augen. (Rückstrahler am Fahrrad nennt man daher „Katzenaugen"). All dies ermöglicht es der Katze, noch bei schwachem Licht nach Beute zu jagen. Sie ist ein Nachtjäger.

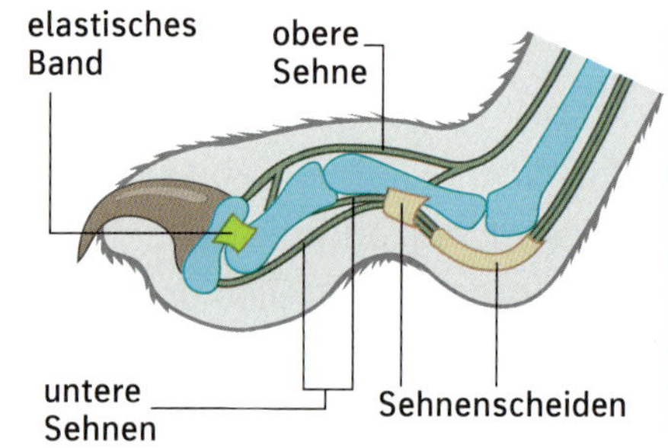

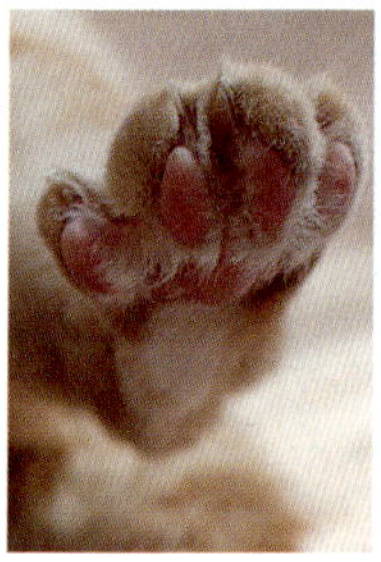

2 Katzenkralle eingezogen

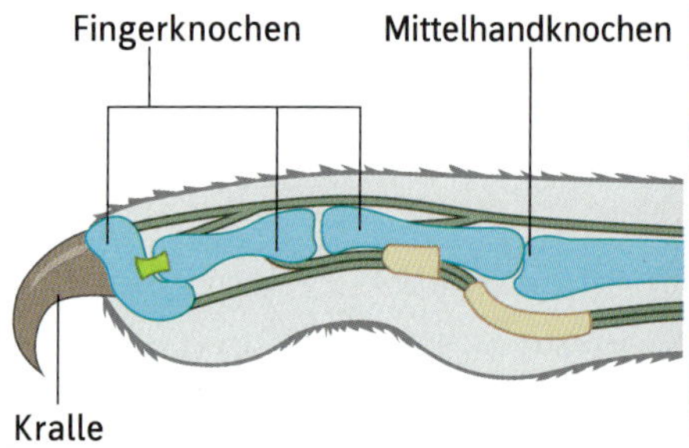

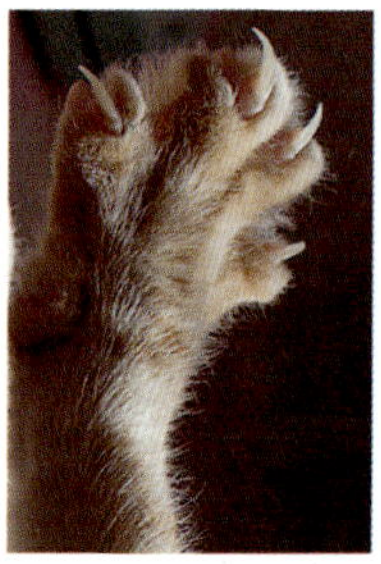

3 Katzenkralle vorgestreckt

4 Katzenaugen.
A bei hellem Tageslicht; B in der Dämmerung

Wie orientiert sich die Katze im Dunkeln?

Am Kopf stehen lange Tasthaare nach allen Seiten weg. Mithilfe dieser Tasthaare kann sich die Katze auch bei völliger Dunkelheit orientieren. Ist es völlig dunkel, kann die Katze trotz ihrer guten Augen nichts mehr sehen. Sie verlässt sich dann auf ihr gut entwickeltes Gehör. Du kannst bei einer lauernden Katze ihre senkrecht aufgerichteten Ohrmuscheln beobachten. Sie bewegt diese langsam nach links und nach rechts. Sie nimmt auch Geräusche wahr, die wir Menschen nicht hören können.

5 Hauskatze

Die Katze ist ein Einzelgänger

Katzen sind im Gegensatz zum Hund keine Rudeltiere. Sie gehen einzeln auf die Jagd. Deshalb kann man mit einer Katze nicht wie mit einem Hund spazieren gehen. Für den Hund ist der gemeinsame Spaziergang ein Jagdausflug mit dem „Leithund". Die Katze ist ein Einzelgänger.

Von der Falbkatze zur Hauskatze

Unsere Hauskatze stammt von Wildkatzen, wie zum Beispiel der Ägyptischen Falbkatze, ab. Diese kommt heute noch in Libyen und Ägypten vor. Als die Menschen in diesen Gebieten sesshaft wurden, bauten sie Getreide an. Mäuse und Ratten fraßen von den Vorräten und richteten oft großen Schaden an. Deshalb begannen die Menschen, die Falbkatzen ab rund 2000 v. Chr. zu zähmen. Sie jagten für den Menschen die Mäuse. Aus den Nachkommen der wilden Falbkatze wurden die zahmen Hauskatzen. Bei uns ist die Hauskatze erst seit knapp 2000 Jahren heimisch. Der Mensch züchtete viele Rassen.

1. Beobachte junge Katzen beim Spielen. Beschreibe ihr Verhalten. Denke nach, ob sie dabei etwas lernen. Berichte.

2. Betrachte die Abbildungen auf der Seite 36 und erkläre die Jagdmethode der Katze. Schreibe in Abb. 1 kurz unter jede Katze, was sie gerade macht.

Jetzt weiß ich´s!

Unsere Hauskatze stammt von der **Ägyptischen Falbkatze** ab. Sie ist ein **Schleichjäger** mit einem **Raubtiergebiss** und **einziehbaren Krallen**. Das Auge ist ihr am besten entwickeltes Sinnesorgan. Aber auch ihr Gehörsinn und ihr Tastsinn (Schnurrhaare) sind gut entwickelt. Die Katze ist ein **Nachtjäger** und ein **Einzelgänger**.

Information mithilfe des Internets finden

Suchen mit Suchmaschinen

Durch das Internet steht dir die größte Bibliothek zur Verfügung, die es gibt. Mithilfe vieler Suchprogramme – man nennt sie auch Suchmaschinen – wie „Google", „fireball", „yahoo" und „lycos" kannst du dir durch die Eingabe von Suchbegriffen Internetseiten zu einem gewünschten Thema anzeigen lassen.

Gehe wie folgt vor (hier am Beispiel Google):

1. Gib in das Adressfeld die Adresse www.google.at ein und drücke die Enter-Taste.
2. Dort, wo der Cursor blinkt, trage einen Suchbegriff ein.
3. Das Internet wird dann nach Einträgen durchsucht, in denen dein Suchbegriff vorkommt.

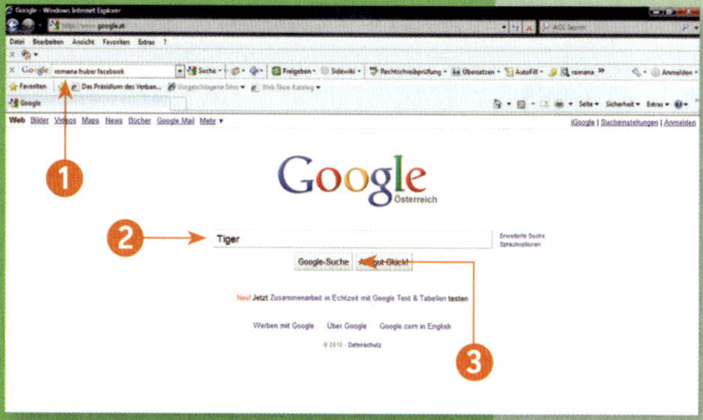

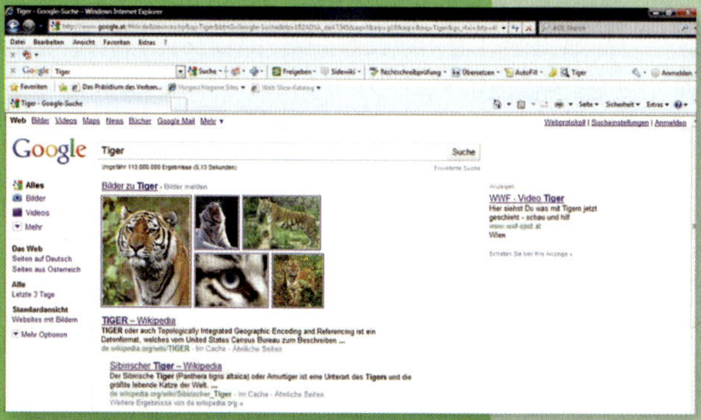

Es kann passieren, dass die Einträge nichts mit dem von dir gesuchten Thema zu tun haben. Das Wichtigste bei der Suche sind die richtigen Suchbegriffe, um brauchbare Ergebnisse zu bekommen. Wenn du zum Beispiel als Suchbegriff Tiger eingegeben hast, bekommst du auch Einträge über die Firma „Tiger". Wenn das der Fall ist, gibst du einen zusätzlichen Suchbegriff ein, z. B. „Tiger", und als zweiten Suchbegriff „Tier". Dadurch beschränkst du die Auswahl auf Seiten, die für dich wichtig sind. Aus den Suchergebnissen kannst du dann interessante Internetseiten auswählen und anschauen, indem du mit der Maus auf den jeweiligen Link klickst.

1 Lies dir den Text auf dieser Seite genau durch. Suche im Internet Informationen zum Thema „Schäferhund" und „Raubtiergebiss". Gehe wie im Text anhand des Beispiels „Tiger" vor.

1 Ein Tiger im Freiland

Lesezeichen

Es ist sinnvoll, interessante Adressen zu speichern. Diese Adressen speichert man als Lesezeichen, manchmal auch unter Favoriten. Hast du eine Adresse als Favorit gespeichert, brauchst du sie beim nächsten Mal nur mehr anklicken und nicht mehr neu suchen oder in das Adressfeld eingeben. Du klickst einfach auf den gewünschten Favoriten.

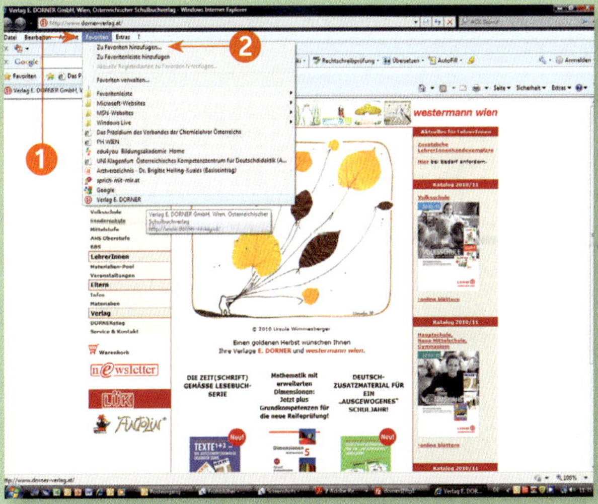

So trägst du Adressen bei Lesezeichen ein

1. Aufrufen des Menüpunktes Lesezeichen. Die Liste der bereits gespeicherten Internetadressen wird sichtbar.
2. Den Menüpunkt „Zu Lesezeichen hinzufügen" anklicken.
3. Du kannst dem Lesezeichen einen Namen geben. Trage ihn im Feld „Name" ein.
4. Anschließend „Fertig" anklicken. Die Internetadresse wird in die Liste der Lesezeichen eingetragen.

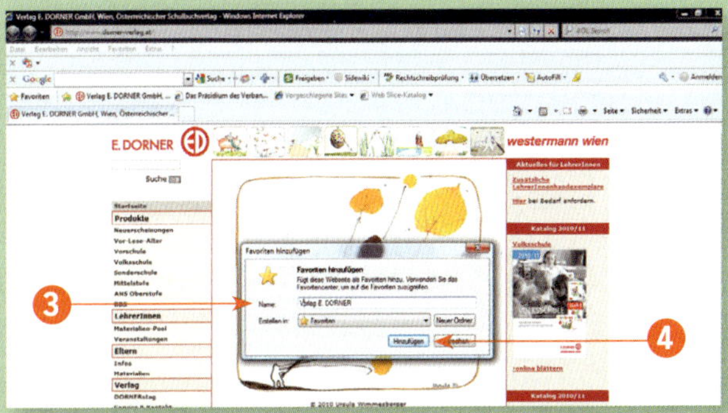

Du kannst deine Lesezeichen auch ordnen. Klicke „Alle Lesezeichen anzeigen" und „Verwalten" an: Damit kannst du ein Ordnungssystem aus Ordnern aufbauen. So findest du Adressen schnell wieder. Du kannst beispielsweise die Ordner Mathematik, Englisch und Biologie anlegen. In jedem Ordner kannst du Unterordner anlegen. Der Ordner Biologie könnte folgende Unterordner enthalten:

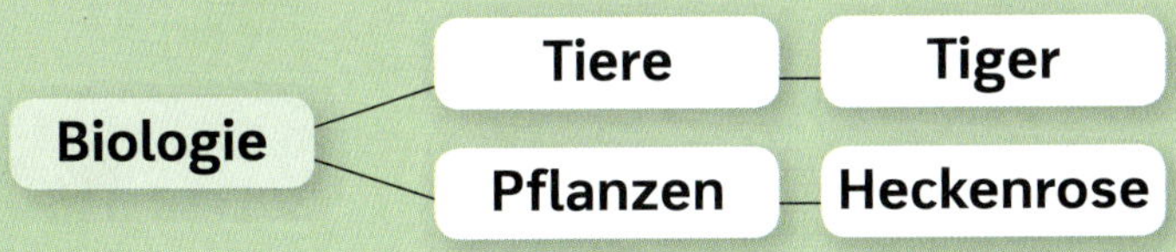

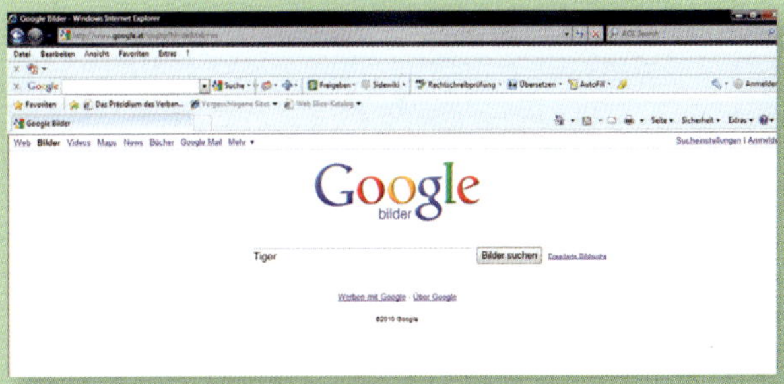

Bildersuche

Um Bilder im Internet zu suchen, kannst du bei Google auf die Rubrik „Bilder" klicken. In das freie Feld gibst du deinen Suchbegriff ein. Dann erhältst du eine Bilderauswahl zu deinem Suchbegriff. Das passende Bild klickst du an und rufst das Kontextmenü mit der rechten Maustaste auf. Du kannst dann das Bild in einem eigenen Ordner speichern (Menüpunkt „Grafik speichern unter") oder das Bild direkt in eine Textdatei an der passenden Stelle (Menüpunkt „Grafik kopieren") einsetzen. Bevor du das Bild kopieren oder speichern kannst, musst du es markieren.

2 Suche bei Google Bilder zum Golden Retriever. Lies dir dazu den Absatz „Bildersuche" auf dieser Seite durch. Suche auch Bilder, die seine Pfoten zeigen. Beschreibe, was dir auffällt.

Hund und Katze

Lernspirale

Im folgenden Text sind neun wichtige Eigenschaften und Merkmale der Katze beschrieben.

Die Katze

Dieses beliebte Haustier stammt von der Ägyptischen Falbkatze ab. Unsere Hauskatze ist ein Schleichjäger. Das heißt, sie nähert sich ihrer Beute langsam und leise, denn sie kann ihre Krallen einziehen. Sie ist ein Einzelgänger, jagt also nicht in einem Rudel. Die Katze geht oft in der Nacht auf die Jagd und kann sich dabei auf ihre Augen und Ohren verlassen. Das sind ihre am besten entwickelten Sinnesorgane.
Unsere Hauskatze ist im Gegensatz zum Hund ortstreu und hängt nicht so sehr an ihrer Besitzerin oder ihrem Besitzer. Wenn sich die Katze zum Beispiel darüber freut, dass das Frauchen oder das Herrchen nachhause gekommen ist, schnurrt sie oder reibt ihren Kopf an Möbeln oder Beinen. Vorsicht bei einer fauchenden Katze, die einen Katzenbuckel macht oder mit dem Schwanz schlägt! Das ist eine deutliche Drohung. Freundlich gestimmt ist dagegen eine Katze, die ihren Schwanz aufgerichtet oder ihre Augen halb geschlossen hat. Bei Angst duckt sie sich auf den Boden und sucht mit großen Augen und aufgerichteten Ohren die Umgebung nach einer drohenden Gefahr ab.

1

Einzelarbeit

Lies dir den Text genau durch. Markiere 9 Stichworte.

2

Partnerarbeit

Vergleicht die Stichworte, dir ihr gefunden habt. Begründet euch gegenseitig, warum ihr bestimmte Begriffe als Stichworte markiert habt.

3

Gruppenarbeit

Füllt die Tabelle „Merkmale von Hund und Katze im Vergleich“ auf Seite 41 aus. Einigt euch zuerst auf den Text und schreibt ihn erst dann in die Tabelle.

Merkmale von Hund und Katze im Vergleich

Merkmal	Hund	Katze
Abstammung	Wolf	
Jagdform	Hetzjäger	
wichtigste(s) Sinnesorgan(e)	Nase, Ohren	
Krallen	nicht einziehbar	
Verhalten	Rudeltier, seiner Herrin/seinem Herrn treu	
Körpersprache: freundlich	wedelt mit dem Schwanz	
freudig	springt an Familienmitgliedern hoch	
ängstlich	legt Ohren an, klemmt Schwanz zwischen die Hinterbeine	
drohend	sträubt das Fell, fletscht die Zähne, knurrt	

4

Präsentation mit Rückmeldung

Ein von der Lehrperson ausgelostes Gruppenmitglied liest den von der Gruppe gemeinsam formulierten Text vor. Die anderen Gruppen melden sich, wenn sie etwas anderes geschrieben haben.

5

Diskussion

Diskutiert über die Unterschiede.

Das Rind ist ein Wiederkäuer

1 Rinder auf der Weide

Das Rind wurde in Mitteleuropa schon vor etwa 7000 Jahren gezüchtet. Alle Rinderrassen stammen vom Wildrind ab: vom Auerochsen, auch Ur genannt. Auerochsen waren vor etwa 250 000 Jahren in den Wäldern Europas weit verbreitet.

Das Rind ist ein Pflanzenfresser

Das Rind ernährt sich nur von Pflanzen. Es frisst aber nicht alle Pflanzen, sondern es prüft die Nahrung mit seinem Geruchs- und Geschmackssinn.

Das Rind als Paarhufer

Die Beine des Rindes haben einen schweren, starken Körper zu tragen. Die Tiere sind Paarhufer. Zwei Zehen an jedem Fuß tragen das gesamte Gewicht des Tieres. Diese Zehen sind jeweils mit einem Huf überzogen. Da Rinder nur mit ihren Zehenspitzen auftreten, nennt man sie Zehenspitzengänger.

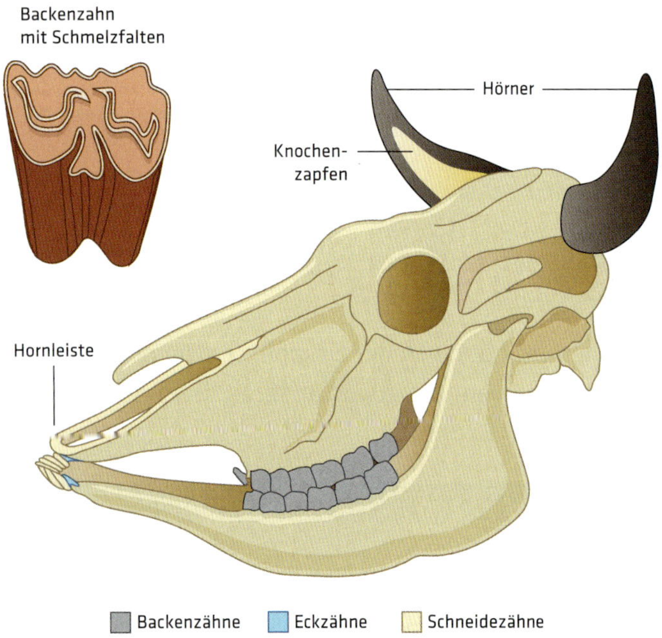

2 Schädel und Gebiss des Rindes

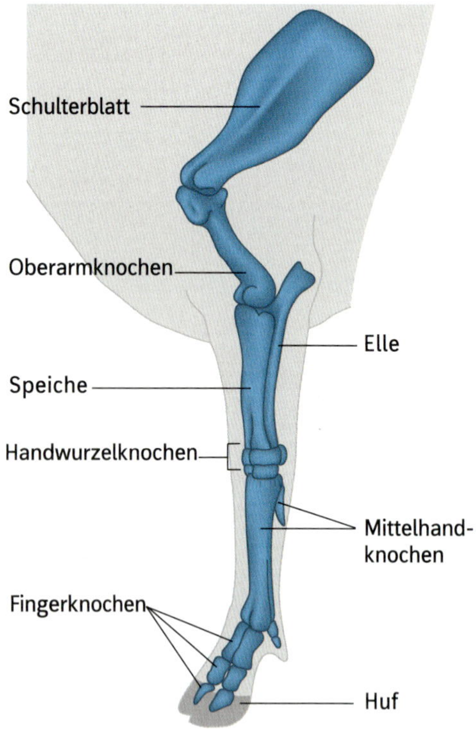

**3 Vorderbein des Rindes.
Das Rind ist ein Paarhufer und Zehenspitzengänger.**

Das Rind kaut die Nahrung zweimal

Das Rind umschlingt Grasbüschel mit seiner langen Zunge, zieht sie in das Maul und reißt sie ruckartig ab. Es schluckt das Futter fast unzerkaut hinunter. Nach stundenlangem Weiden legt es sich hin und beginnt die aufgenommene Nahrung gründlich zu kauen: Es stößt auf, und ein Futterballen rutscht den Hals hinauf ins Maul. Nun wird der Bissen sorgfältig zermahlen und anschließend wieder verschluckt. Rinder kauen also ihr Futter zweimal. Man bezeichnet sie deshalb als Wiederkäuer. Das Pflanzenfressergebiss des Rindes mit seinen breiten Mahlzähnen ist dafür gut geeignet.

Der Wiederkäuermagen

Der Magen eines Rindes muss viel leisten. Er besteht daher aus vier Teilen.

Die großen, wenig vorgekauten Grasbüschel werden zuerst im geräumigen Pansen eingeweicht. In diesem Magenabschnitt leben Kleinstlebewesen wie z. B. Bakterien, mit denen der Nahrungsbrei gut vermischt wird. Sie helfen, die Kohlenhydrate zu zersetzen, damit sie das Rind aufnehmen kann. Anschließend gelangen kleine Futtermengen in den Netzmagen. Stößt das Rind auf, gelangen zerkleinerte Nahrungsteile in das Maul. Das Rind beginnt zu kauen.

Nach dem Wiederkäuen gelangt der Brei durch den Pansen in den Blättermagen, wo er weiter zerkleinert wird. Dann kommt der Nahrungsbrei in den Labmagen. Hier beginnen Verdauungssäfte den Nahrungsbrei zu zersetzen, bevor er in den Darm zur weiteren Verdauung gelangt. Hier wird der Brei weiter verdaut. Außerdem gelangen durch die Darmwand die zerlegten Nährstoffe ins Blut.

1 Beschreibe den Weg der Nahrung vor und nach dem Wiederkäuen. Jeder der vier Teilmägen hat eine andere Aufgabe. Nenne sie.

2 Vergleiche das Pflanzenfressergebiss des Rindes mit dem Fleischfressergebiss des Hundes. Erkläre, wie die Zahnformen an die Ernährung der Tiere angepasst sind.

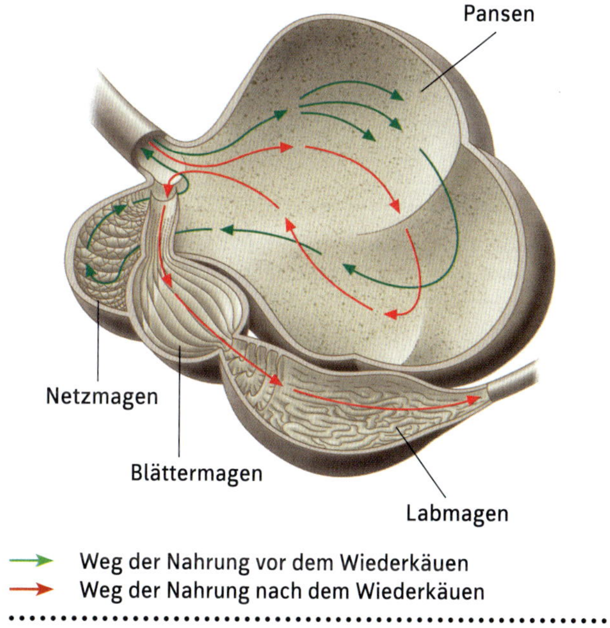

4 Wiederkäuermagen des Rindes

Jetzt weiß ich´s!

Das Rind ist ein **Pflanzenfresser** und **Wiederkäuer**.
Weg der Nahrung: unzerkaute Nahrung:
➡ Speiseröhre ➡ Pansen ➡ Netzmagen ➡ Maul (Wiederkäuen) ➡ Speiseröhre ➡ Blättermagen (Wasser wird ausgepresst) ➡ Labmagen (Nährstoffe werden zerlegt) ➡ Darm (weitere Verdauung).
Das Rind ist ein **Paarhufer** und **Zehenspitzengänger.**

Das Pferd und seine Lebensweise

1 Reiten ist ein beliebter Sport – vor allem bei Mädchen

2 Przewalski-Pferde

3 Haflinger, ein Kaltblutpferd – auch heute ein geschätztes Zug- und Tragtier in gebirgigen Gegenden

4 Lipizzaner, ein Warmblutpferd – Dressurpferde der Spanischen Hofreitschule in Wien

In unserer Heimat wird das Pferd seit 4000 Jahren als Haustier gehalten. Pferde dienten dem Menschen früher vor allem als Arbeitstiere. Traktoren und Lastwagen haben dann das Pferd als Arbeitstier fast verdrängt. Heute züchtet man hauptsächlich Pferde für den Reitsport.

Verhaltensweisen des Pferdes

Das Verhalten eines Pferdes erinnert noch heute an das Leben seiner Vorfahren, der Wildpferde: Auf der Weide bleiben sie in kleinen Gruppen zusammen. Im Kampf setzen sie die Zähne und Hufe als Waffen ein. Werden Pferde erschreckt, rennen sie fluchtartig davon.

Heute lebt noch eine Wildpferdeart, das Przewalski-Pferd. Es kommt in den weiten Steppengebieten der Mongolei vor. Im Tierpark Hellbrunn (Salzburg) züchtet man das Przewalski-Pferd und versucht es, in der Mongolei wieder anzusiedeln.

Warmblut – Kaltblut

Man fasst die unterschiedlichen Pferderassen in zwei Gruppen zusammen: in Warmblutpferde und Kaltblutpferde. Diese Bezeichnungen beziehen sich auf das Temperament und nicht auf die Körpertemperatur einer Rasse.

Zu den Warmblutpferden gehören schlanke und schnelle „Laufpferde" wie die Lipizzaner.
Zu den Kaltblutpferden gehören grobknochige, schwere „Schrittpferde" wie die Haflinger.

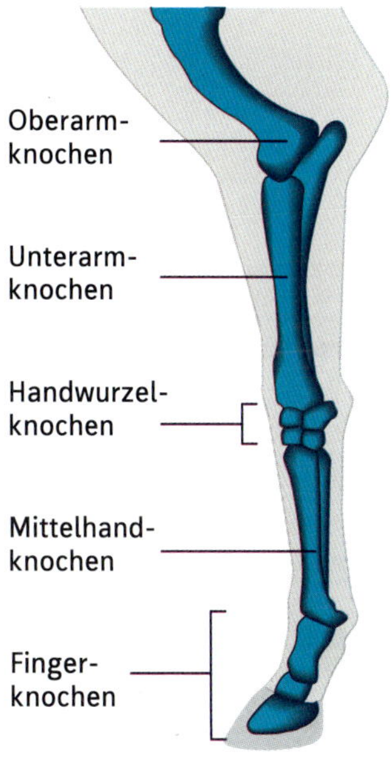

1 Vorderbein des Pferdes

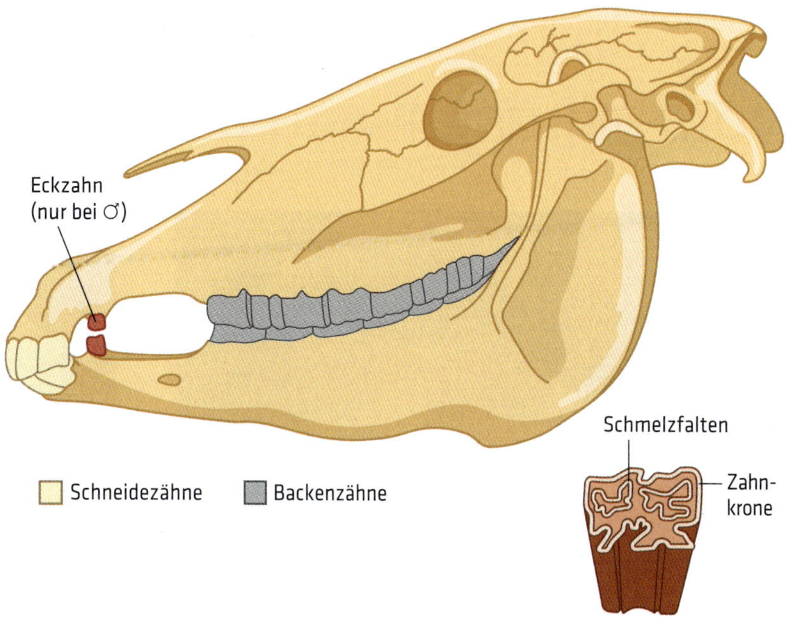

2 Schädel und Gebiss des Pferdes

Das Pferd ist ein Unpaarhufer

Das Pferd hat sehr lange und starke Laufbeine. Mit ihnen kann es stundenlang laufen und weite Sprünge machen. Es ist wie das Rind ein Zehenspitzengänger. Es tritt aber nur mit der Spitze der stark verlängerten mittleren Zehe auf. Diese ist durch einen Huf geschützt. Das Pferd ist deshalb ein Einhufer oder Unpaarhufer.

Das Pferd hat ein Pflanzenfressergebiss

Mit den schräg nach vorne gerichteten Schneidezähnen „zwickt" das Pferd Gras ab. Dieses zerkleinert es zwischen seinen breiten Backenzähnen. Auf den Zahnkronen der breiten Backenzähne befinden sich Schmelzfalten. Je älter das Pferd ist, umso stärker sind diese Schmelzfalten durch das Kauen abgenutzt. An der Abnutzung lässt sich also das Alter eines Tieres erkennen.

1. Ist das Pferd heute nur noch ein Reittier? Überlege.

2. Erkläre das Sprichwort: „Einem geschenkten Gaul schaut man nicht ins Maul."

Jetzt weiß ich´s!

Als Nutztier wird das Pferd heute nur noch selten verwendet. Das Pferd ist ein **Zehenspitzengänger** und gehört zu den **Unpaarhufern** (Einhufern). Es hat ein **Pflanzenfressergebiss** mit schräg nach vorne gerichteten Schneidezähnen und breiten Backenzähnen. Nach Temperament und Körperbau der einzelnen Rassen unterscheiden wir **Warmblutpferde** (schlanke „Laufpferde") und **Kaltblutpferde** (schwere „Schrittpferde").

Das Hausschwein stammt vom Wildschwein ab

1 Wildschwein. Bache mit Frischlingen
Keiler = männliches Tier; Bache = weibliches Tier;
Frischling = Jungtier im 1. Lebensjahr;
die Bache bringt im Jahr 4 bis 8 Junge zur Welt.

2 Hausschwein. Sau mit Ferkeln
Eber = männliches Tier; Sau = weibliches Tier;
Ferkel = Jungtier im 1. Lebensjahr;
die Sau bringt im Jahr zweimal 8 bis 12 Junge zur Welt.

Der Lebensraum des Wildschweins

Wildschweine sind Waldbewohner. Tagsüber halten sich die Tiere in feuchten Laubwäldern auf. Sie bevorzugen Stellen mit schlammigen Pfützen. Wildschweine wälzen sich gerne in diesen Suhlen. Dabei schmieren sie sich ihr schwarzes Borstenkleid mit Schlamm ein. Dadurch ist es gegen Insektenstiche geschützt.

Erst spät abends gehen die Wildschweine auf Nahrungssuche. Sie fressen Eicheln, Bucheckern, Kräuter, Pilze und frisches Gras, aber auch Wurzeln, Würmer, Larven und Mäuse. Sie nehmen also pflanzliche und tierische Nahrung zu sich. Wildschweine sind Allesfresser. Sie haben einen ausgezeichneten Geruchssinn. Deshalb finden sie sogar Nahrung im Boden. Sie wühlen mit ihren starken Rüsseln in der Erde. Mit ihren nach oben gerichteten Eckzähnen, den Hauern, brechen sie den Boden auf.

Das Verhalten des Hausschweins

Aus dem Wildschwein hat der Mensch vor etwa 9000 Jahren das Hausschwein gezüchtet. Vergleicht man den Körperbau von Wildschwein und Hausschwein, so hat das Wildschwein längere Beine und ein borstiges, dunkles Fell. Aber die Abstammung ist gut zu erkennen. Vor allem im Freien ist das Verhalten von Wildschweinen und Hausschweinen sehr ähnlich: Auch Hausschweine wühlen den Boden auf und durchsuchen ihn nach Nahrung. In schlammigen Pfützen wälzen sie sich genauso gerne wie Wildschweine.

Schweine haben ein Allesfressergebiss

Beim Allesfressergebiss sind Schneide-, Eck- und Backenzähne gut ausgebildet. Eber, die männlichen Hausschweine, haben zu Hauern entwickelte Eckzähne. Die Backenzähne kennzeichnen das Gebiss als Allesfressergebiss. Mit den spitzhöckerigen vorderen Backenzähnen werden Fleischteile zerrissen; mit den stumpfhöckerigen hinteren Backenzähnen werden Pflanzenteile zermalmt. Grobe Nahrungsteile werden von den starken Eckzähnen zerkleinert. Mit den Schneidezähnen des Ober- und Unterkiefers kann das Schwein auch kleinste Nahrungsteile wie einzelne Getreidekörner aufnehmen.

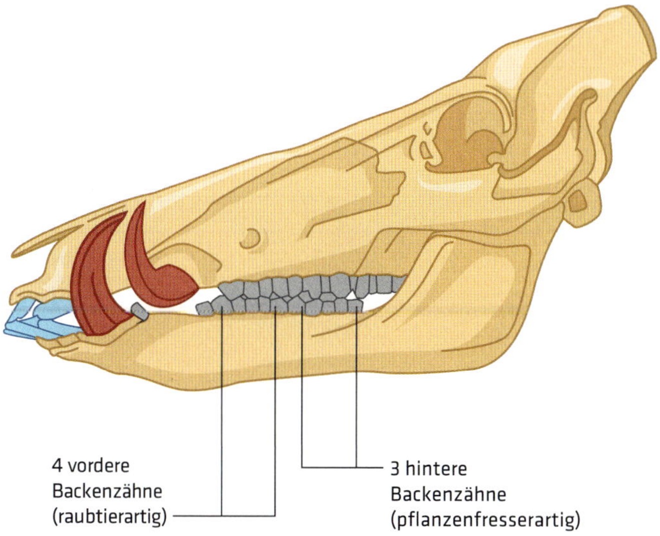

3 Schädel und Gebiss des Wildschweins

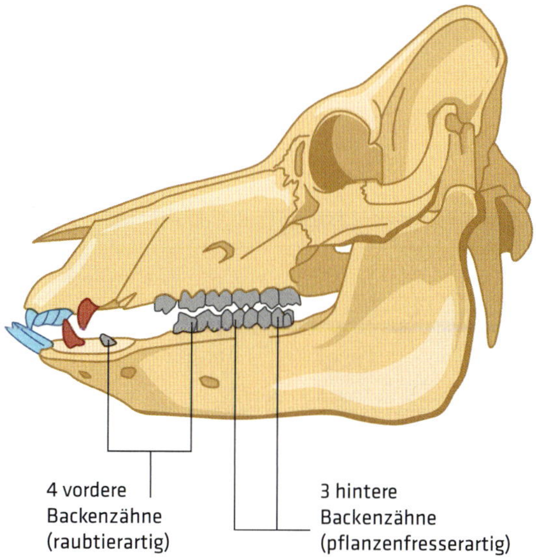

4 Schädel und Gebiss des Hausschweins

5 Keiler

6 Eber

1 Vergleiche den Körperbau von Wildschwein und Hausschwein. Wie unterscheiden sich Rumpf, Haarkleid, Kopfform, Gebiss und Ohren? Verwende dazu die Abbildungen auf dieser Doppelseite.

2 Das Gebiss des Schweins ist ein Allesfressergebiss. Führe in einer Tabelle die Unterschiede zwischen Raubtier-, Pflanzenfresser- und Allesfressergebiss an.

3 Nenne bestimmte Körpermerkmale, die die Anpassung des Wildschweins an seine Lebensweise zeigen. Denke dabei zum Beispiel an das Haarkleid, den Körperbau, die Kopfform und das Gebiss. Schildere die Zusammenhänge.

Jetzt weiß ich´s!

Das Hausschwein stammt vom Wildschwein ab. Weil es tierische und pflanzliche Nahrung frisst, hat es ein **Allesfressergebiss**. Wildschweine haben zu Hauern ausgebildete Eckzähne. Beim Hausschwein hat nur der **Eber Hauer**. Schweine haben einen gut entwickelten Geruchssinn.

Säugetiere haben gemeinsame Merkmale

1 Hündin säugt ihre Welpen. Nach einer Tragzeit von 60 bis 63 Tagen werden 3 bis 10 Welpen geboren oder „geworfen". Die Hündin kann acht Junge gleichzeitig säugen.

Säugetiere ernähren ihre Jungen mit Muttermilch

In den Milchdrüsen der weiblichen Tiere wird Muttermilch gebildet. Die Jungen saugen durch die Zitzen die nahrhafte Milch und können rasch wachsen. Alle Tiere, die wie die Hündin in Abbildung 1 ihre Jungen mit Muttermilch säugen, bezeichnet man als Säugetiere.

Säugetiere atmen durch Lungen

Sie atmen durch Lungen, durch die sie Sauerstoff aus der Luft aufnehmen und Kohlenstoffdioxid abgeben.

Säugetiere sind gleichwarm

Ihre Körpertemperatur ist immer ungefähr gleich hoch, egal ob es kalt oder warm ist.

Säugetiere haben ein Gebiss

Am Gebiss kannst du erkennen, wovon sich ein Tier ernährt (z. B. hat ein Pflanzenfresser ein Pflanzenfressergebiss).

Säugetiere haben ein Knochenskelett

Es macht den Körper beweglich, stützt und schützt ihn.

Säugetiere haben ein Fell

Ihr Körper ist behaart, um vor Sonne, Wind und Regen geschützt zu sein.

Säugetiere sind Nesthocker oder Nestflüchter

Eine trächtige Stute bringt nach etwa 340 Tagen ein Junges, ein Fohlen, zur Welt. Das Fohlen ist ein Nestflüchter, weil es bald nach der Geburt der Mutter folgen kann. Es kann sehen, hat ein Fell und saugt selbstständig an den Zitzen der Mutter.

Eine trächtige Hündin wirft nach rund 60 Tagen 3 bis 10 Junge. Junge Hunde heißen Welpen. Sie sind sehr hilflos und werden daher Nesthocker genannt. Sie sind behaart, zahnlos und blind, können weder stehen noch gehen. Sie müssen daher von der Mutter im „Nest" gepflegt werden. Nach ungefähr einem halben Jahr sind die Welpen selbstständig.

Jedes Muttertier leckt, säubert, wärmt und verteidigt seine Jungen. Dieses Brutpflegeverhalten muss nicht erlernt werden, es ist angeboren. Auch Jungtiere zeigen angeborene Verhaltensweisen: das Suchen der Zitzen und das Saugen.

2 Kuh leckt ihr Neugeborenes.

3 Igeljunge bleiben 6-8 Wochen im Nest.

1 Nenne Säugetiere, die Haustiere sind.

2 Zähle alle Säugetiere, die du kennst, auf. Gib ihre typischen Säugetiermerkmale an.

3 Pferde, Rinder und Schafe leben zum Beispiel in Herden, also in großen Gruppen zusammen. Ihre Jungen sind Nestflüchter. Damit sind die Jungtiere sehr gut an die Lebensweise ihrer Eltern angepasst. Erkläre.

4 Suche im Internet nach Säugetieren, die Eier legen. Nenne ihre Namen. Schreibe über die Tiere einen Steckbrief.

4 Das Fohlen ist ein Nestflüchter. Bald nach der Geburt gelingt es ihm, aufzustehen. Auf unsicheren Beinen „stelzt“ es hinter seiner Mutter her.

Jetzt weiß ich´s!

Säugetiere **säugen** ihre Jungen, betreiben **Brutpflege**, haben **Lungen**, sind **gleichwarm**, haben ein **Skelett aus Knochen**, ein **Gebiss** und ein **Fell**. Unselbstständige Jungtiere nennt man **Nesthocker**. Jungtiere, die kurz nach der Geburt der Mutter folgen können, heißen **Nestflüchter**.

!

Gedicht-Rätsel – Kennst du mich?

Versuche, das Gedicht mit den folgenden Worten zu ergänzen:
Butter, Wiederkäuer, Haut, 7000, Stall, Pflanzenfutter, Knöpfe

Bin ein Säugetier – ein altes! Der Auerochs' mein Urahn ist.
Begnüge mich mit ____________________, bin ein „Verdauungsspezialist":
Man nennt mich einen ____________________ mit einem ganz besond'ren Magen:
Jeder der vier Teile leistet seine Arbeit – sozusagen.

Bin ein sehr beliebtes Haustier! Du sagst ______________ zu meinem Haus.
Im Sommer bin ich auf der Weide und lebe dort tagein, tagaus!
Ein Getränk, gesund und weiß, Käse, Jogurt, ______________.
Schnitzel- oder Suppenfleisch, kocht dir dann deine Mutter.

Bin ein sehr wichtiges Nutztier! Vor ______________ Jahren schon
haben Menschen mich gezüchtet. Bis heute ist es Tradition:
Für Taschen und so manchen Schuh erzeugt aus meiner ______________ man Leder.
Aus meinen Hörnern werden Kämme, auch ______________ – na das weiß doch jeder!
Glaub', du kennst nun meinen Namen, hast bestimmt mich schon geseh'n!
Überleg', was du nicht hättest, würd' ich als Haustier nicht besteh'n.
Mein Name ist ____________________.

!!

Haustier-Memory

Verbinde das Bild mit dem dazu passenden Tiernamen.

Wolf

Hauskatze

Rind

Schäferhund

Przewalski-Pferd

Haflinger

Wildschwein

Hausschwein

!!!

„Außenseiter“

Neben jeder Ziffer findest du fünf Begriffe. Ein Begriff passt nicht zu den anderen. Welcher? Erkläre in der Tabelle darunter, warum dieses Wort nicht zu den anderen passt.
Beispiel: Welpe – Katze – Pferd – Schwein – Rind
„Außenseiter“: Welpe
Erklärung: Die anderen Begriffe bezeichnen erwachsene Säugetiere.
Mit Welpe wird das Junge von Hunden bezeichnet, solange es gesäugt wird.

1. Schäferhund – Haflinger – Wildschwein – Hauskatze – Hausrind
2. Ferkel – Bache – Sau – Eber – Hausschwein
3. Hornleiste – Reißzähne – Fangzähne – Schneidezähne – Backenzähne
4. Labmagen – Netzmagen – Blättermagen – Speiseröhre – Pansen
5. Nesthocker – Schwein – Pferd – Nestflüchter – Rind
6. Fingerknochen – Knochenzapfen – Mittelhandknochen – Handwurzelknochen – Unterarmknochen
7. einziehbare Krallen – Tasthaare – Hetzjäger – Raubtiergebiss – Einzelgänger
8. Unpaarhufer – Pflanzenfresser – Zehenspitzengänger – Allesfresser – Nutztier
9. Bache – Frischling – Keiler – Wildschwein – Eber

„Außenseiter“	Erklärung
1	
2	
3	
4	
5	
6	
7	
8	
9	

Wildkaninchen und Feldhase

1 Wildkaninchen

2 Feldhase

Kaninchen leben gesellig

Das Wildkaninchen lebt gesellig in einer Kolonie. Im Gegensatz zum Hasen gräbt es einen unterirdischen Bau. Wohnkessel und Gänge bilden eine große Anlage. Oft findest du Bau neben Bau. Dennoch leben die Familien streng voneinander getrennt.

Kaninchen sind Nesthocker

Jedes Weibchen bringt mehrmals im Jahr Junge zur Welt. Auf diese Weise kann ein Weibchen in einem Jahr bis zu 60 Junge haben. Die Jungen werden blind und nackt geboren und sind hilflos. Daher sind sie Nesthocker. Sie werden etwa drei Wochen lang gesäugt, bevor sie sich selbst pflanzliche Nahrung suchen können.

Kaninchen sind Kurzstreckenläufer

Das Wildkaninchen hat nur eine kleine Lunge. Es ermüdet daher sehr schnell. Deshalb ist es ein leichtes Beutetier für seine Feinde.

Kaninchen sind Fluchttiere

Wildkaninchen können sich vor Feinden nur schützen, indem sie flüchten. Nähern sich ihnen Feinde wie Fuchs, Wiesel oder Greifvögel, warnen sich die Tiere gegenseitig. Sie trommeln dabei mit den Hinterläufen auf den Boden und flüchten blitzschnell in ihren Bau. Nur so können sie überleben.

Feldhasen sind Einzelgänger

Im Gegensatz zum Wildkaninchen lebt der Feldhase als Einzelgänger. Er verbringt den Tag in einer flachen Mulde, der Sasse. Diese befindet sich in einem Feld oder in einem Wald. Dort sitzt der Hase gut getarnt durch sein braunes Fell.

Feldhasen sind Nestflüchter

In der Sasse bringt das Weibchen auch die Jungen zur Welt. Die Jungen sind behaart, können sehen und gleich laufen. Sie werden zwar von der Mutter gesäugt, beginnen jedoch nach ca. 3 Wochen ihr Futter selbst zu suchen. Sie sind Nestflüchter.

3 Feldhase auf der Flucht

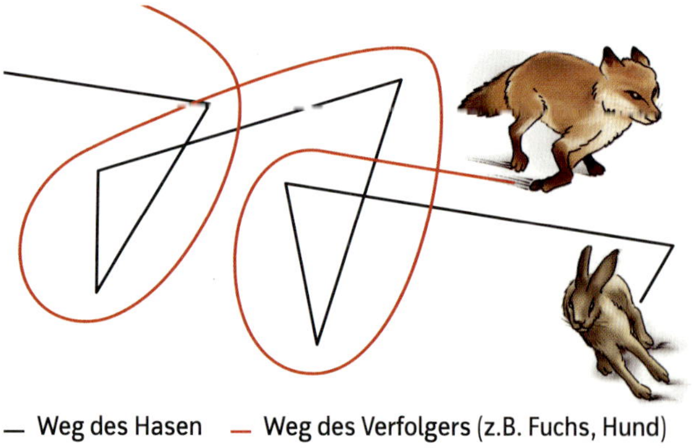

4 Fluchtweg des Feldhasen

5 Wie die Hasenspur entsteht.

Feldhasen sind Dämmerungstiere

Erst abends geht der Hase auf Nahrungssuche. Er riecht und hört sehr gut. Auch der Sehsinn ist gut entwickelt. Die Augen befinden sich seitlich am Kopf, sodass der Hase, ohne sich zu bewegen, fast rundum sehen kann. Feinde bemerkt er daher von weitem.

Feldhasen sind Langstreckenläufer

Erst bei großer Gefahr springt der Hase auf. Auch er ist ein Fluchttier, er kann schnell und ausdauernd laufen, er ist ein Langstreckenläufer. Mit langen, kräftigen Hinterläufen macht er weite Sprünge. Kommt diesem Langstreckenläufer dennoch ein Feind zu nahe, schlägt er ganz plötzlich einen Haken. Auf diese Weise gewinnt der Hase wieder einen Vorsprung, sodass er oft seinen Feinden entkommt.

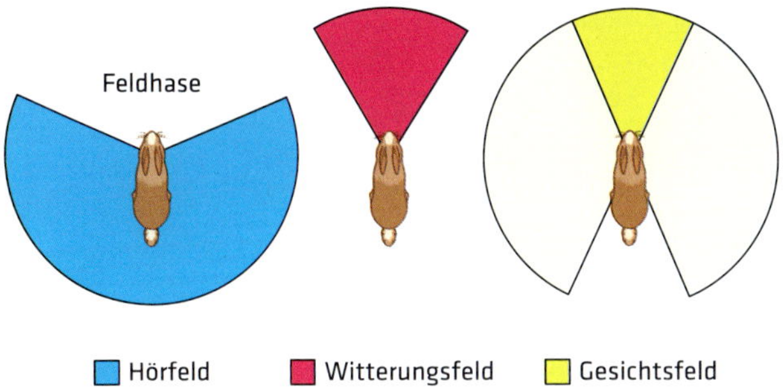

6 Sinnesleistungen des Hasens

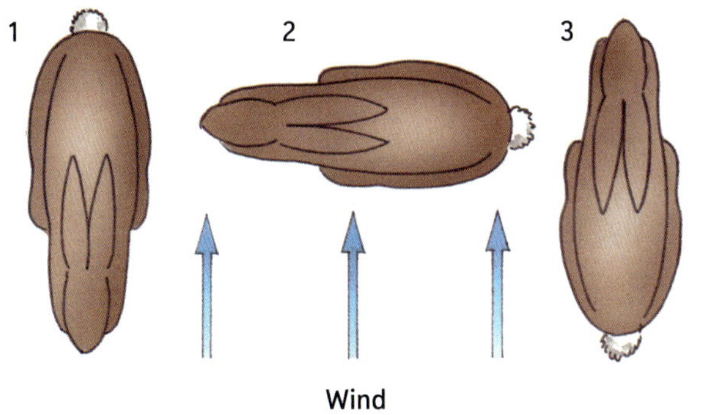

7 Welcher Hase sitzt richtig in der Sasse, um einen nahenden Feind rechtzeitig zu wittern?

1 Vergleiche die Lebensweise von Wildkaninchen und Feldhasen. Gib die Unterschiede (Lebensraum, Nachkommen, Schutz- und Gemeinschaftsverhalten) in einer Tabelle an.

2 Erkläre die Sinnesleistungen des Hasen anhand der Abbildung 6. Erkläre den folgenden Satz: Der Hase ist ein Ohren-, Nasen- und Augentier.

3 Das Hauskaninchen stammt vom Wildkaninchen ab. Bevor du dir ein Hauskaninchen nimmst, muss dir klar sein, dass du einiges zu beachten hast. Zähle auf.

Jetzt weiß ich´s!

Kaninchen leben gesellig in einem unterirdischen **Bau**. Als Fluchttiere sind sie **Kurzstreckenläufer**. Kaninchen haben viele Feinde. Die Jungen sind **Nesthocker**.
Der **Feldhase** ist ein **Einzelgänger**. Den Tag verbringt er in der **Sasse**. Auch er ist ein Fluchttier, aber ein **Langstreckenläufer**. Seine empfindlichen Sinnesorgane warnen ihn vor Feinden. Die Jungen sind **Nestflüchter**.

Vergleichen

Wölfe leben in Rudeln mit einer Rangordnung. Sie gehen meistens gemeinsam auf Jagd, vor allem tagsüber, manchmal auch in der Nacht. Wölfe laufen täglich viele Kilometer, um ihre Beutetiere, zum Beispiel Rentiere, aufzuspüren. Mit ihrem guten Geruchssinn und ihrem guten Gehör können Wölfe ihre Beute riechen und hören. Zuerst schleichen sie sich an die Rentiere heran. Dann rennt das Wolfsrudel los. Die Rentiere werden gehetzt, manchmal über viele Kilometer. Wird ein Beutetier eingeholt, springen mehrere Wölfe das Tier an. Durch einen kräftigen Biss in den Hals wird es getötet. Die Beute wird gemeinsam gefressen. Die ranghöchsten Rudelmitglieder dürfen als Erste fressen.

Wölfe

1 Wölfe auf der Spur eines Beutetiers

Eine Hauskatze jagt in der Dämmerung und nachts. Sie kann sehr gut hören und auch in der Dämmerung gut sehen. Hat eine Katze das Fiepen einer Maus gehört, schleicht sie sich lautlos und geduckt an. Vor dem Mauseloch lauert sie bewegungslos. Kommt die Maus aus ihrem Loch heraus, schnellt die Katze mit einem kräftigen Sprung auf die Beute zu. Die Maus wird mit den Vorderpfoten und den scharfen, ausgestreckten Krallen ergriffen und zu Boden gedrückt. Mit einem Biss wird die Maus getötet.

2 Katze auf der Mäusejagd

Hauskatze

Vergleichen ist eine häufige Tätigkeit. In der Sprache werden Vergleiche unter anderem durch die Steigerung von Eigenschaftswörtern deutlich: Etwas ist schöner, lauter, schneller oder schwieriger als etwas anderes. Wenn man zwei oder mehrere Dinge miteinander vergleicht, macht man Folgendes: Man sucht die gemeinsamen und die unterschiedlichen Merkmale. In der Biologie können Pflanzen, Tiere, Gesteine und Böden oder Vorgänge (zum Beispiel das Jagdverhalten von Wolf und Katze) miteinander verglichen werden.

Folgende Fragen helfen dir beim Vergleichen:

- Was soll ich genau miteinander vergleichen?
- Innerhalb welcher Grenzen soll ich vergleichen?
- Wie stelle ich die Ergebnisse des Vergleichs dar, z. B. als Tabelle (Abb. 3) oder als Text?
- Weiß ich genug über die Gegenstände oder Vorgänge, die ich vergleichen soll, oder muss ich mich noch informieren?
- Welche Gemeinsamkeiten stelle ich fest?
- Welche Unterschiede gibt es?
- Wie lässt sich der Vergleich zusammenfassen?

1 Vergleiche das Jagdverhalten von Wölfen und Katzen.
Wie verhalten sich Wölfe, wie verhalten sich Katzen, wenn sie jagen (Abb. 1, 2)?
Die oberhalb aufgelisteten Fragen sowie Abb. 1 und 2 sollen dir dabei helfen.

2 Auf den Seiten 46 und 47 hast du Hausschwein und Wildschwein kennen gelernt.
Vergleiche nun ihre Lebensweisen.

3 Vergleiche das Gewicht von Hase und Kaninchen bei der Geburt und nach 4 Wochen.
Was fällt dir auf?

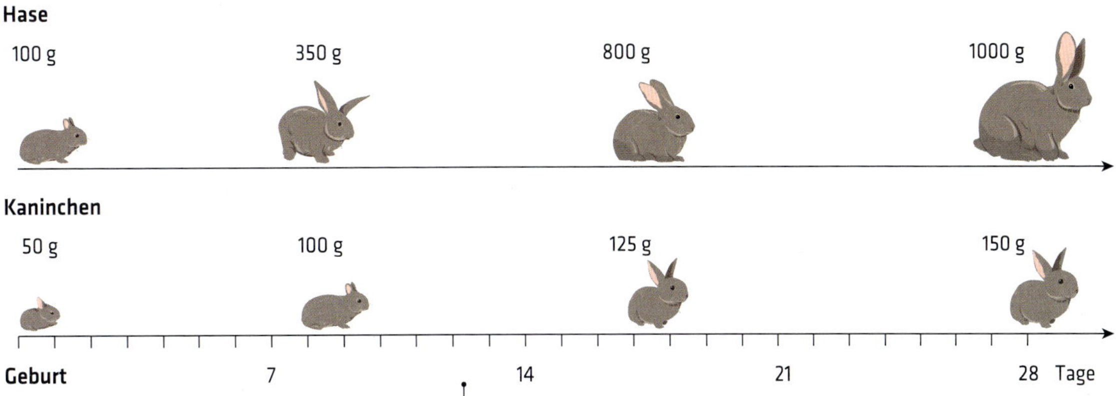

3 Entwicklung von Hase und Kaninchen

Der Maulwurf lebt unter der Erde

1 Ein Maulwurf kommt an die Erdoberfläche.

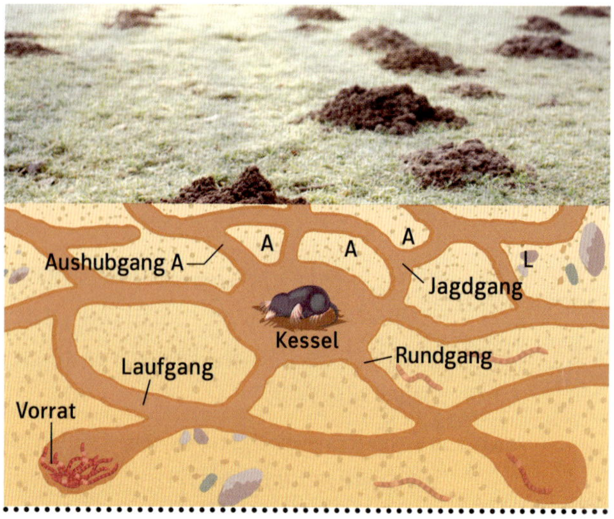

2 Gangsystem des Maulwurfs

Das Wohn- und Jagdrevier eines Maulwurfs

Das Revier eines Maulwurfs liegt unter der Erde. Aus der Lage der Maulwurfshaufen kannst du dir ein Bild davon machen, wie groß das Revier eines einzigen Maulwurfs sein kann. Maulwürfe leben nämlich die meiste Zeit im Jahr als Einzelgänger. Alle Maulwurfshügel sind unterirdisch durch Gänge verbunden, die sich bis 60 Zentimeter tief in der Erde befinden können. Im Mittelpunkt dieser Gänge befindet sich der Wohnkessel. Er ist mit Pflanzenteilen wie Grashalmen oder Moos ausgepolstert. Darin ruht das Tier. Hier werden auch die 3 bis 6 Jungen großgezogen. Dieses Wohnrevier ist von einem Rundgang umgeben. Von diesem zweigen mehrere Laufgänge ab, die in das Jagdrevier führen.

Der Maulwurf – ein Insektenfresser

Der Maulwurf ist kein Pflanzenfresser. Er ernährt sich nicht von Pflanzenwurzeln, sondern von Käfern, Tausendfüßern, Asseln, Engerlingen, Schnecken, aber vor allem von Regenwürmern. Er muss täglich etwa so viel fressen, wie er wiegt. Deshalb läuft er alle drei bis vier Stunden die Jagdgänge nach Beute ab. Sein Geruchs-, Gehör- und Tastsinn sind ausgezeichnet entwickelt. Nur sehen kann er schlecht. Die Beutetiere werden mit den kräftigen, spitzen Zähnen ergriffen und zermalmt. Tiere mit einem derartigen Gebiss bezeichnet man als Insektenfresser.

Wie überwintert der Maulwurf?

Im Spätherbst legen Maulwürfe in Vorratskammern Nahrungsvorräte für den Winter an. Dazu beißen sie Regenwürmern den vorderen Körperabschnitt ab, Insektenlarven beißen sie in den Kopf. Dadurch werden die Tiere nicht getötet, können sich aber nicht mehr aus der Vorratskammer fortbewegen. Im Winter zieht sich der Maulwurf in tiefer liegende Gänge zurück. So ist er vor Frost geschützt. Ab und zu frisst er von seinen Nahrungsvorräten.

1 Beschreibe das Revier des Maulwurfs.

2 Informiere dich:
- Halten sich Maulwürfe nur unter der Erde auf?
- Können Maulwürfe schwimmen?
- Nenne Tiere, mit denen der Maulwurf nah verwandt ist.

Der Körperbau ist der Lebensweise angepasst

Um sich in seinem Revier gut fortbewegen zu können, braucht der Maulwurf kurze Beine. Mit diesen kann er seinen walzenförmigen Körper schnell durch die engen Gänge schieben. Das dichte Fell schützt vor Kälte und Nässe. Die kurzen Haare haben keine Strichrichtung. Sie liegen nicht, wie zum Beispiel bei der Katze, in einer bestimmten Richtung. So behindern sie den Maulwurf beim Kriechen nicht, egal in welche Richtung.

Der Maulwurf hat keine Ohrmuscheln. Die kleinen Augen liegen im Fell verborgen. Die Mundöffnung und die Nasenöffnungen sind nach unten gerichtet. So werden sie beim Graben nicht mit Erde verstopft. Mit den seitlich vom Körper abstehenden Vorderpfoten gräbt der Maulwurf im Boden. Sie heißen Grabbeine und haben lange Krallen. Sie werden durch das Sichelbein verbreitert. Damit lockert der Maulwurf die Erde.

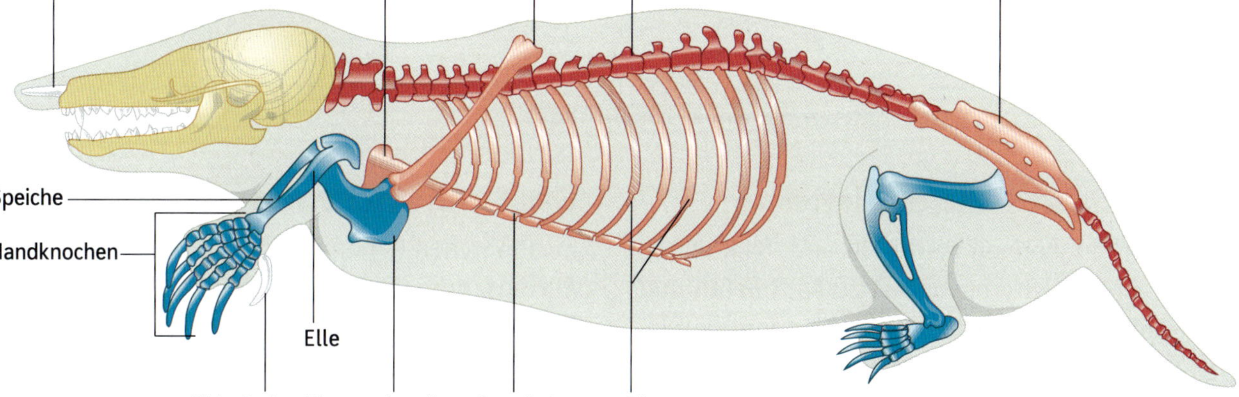

3 Erkläre, wie der Maulwurf an das Leben in der Erde angepasst ist. (Denke an seine Sinne, das Skelett, das Fell und die Körperform.)

Jetzt weiß ich´s !

Viele Erdhügel sind ein Hinweis auf im Boden lebende Maulwürfe. Der Maulwurf ist ein **Insektenfresser**. Sein Körperbau ist der Lebensweise angepasst: **walzenförmiger** Rumpf, kurze Beine, **Grabbeine**, dichtes **Fell ohne Strichrichtung**, gut entwickelter Geruchs-, Gehör- und Tastsinn.

Das Eichhörnchen bewohnt Bäume

1 Eichhörnchen

2 Klettertour eines Eichhörnchens

Ein wendiges, sicheres Klettertier

Eichhörnchen können gewandt und flink einen Stamm hinaufklettern, von Ast zu Ast hüpfen und auch kopfüber den Baumstamm hinunterlaufen. Der Körper ist schlank und leicht. Die langen, kräftigen Hinterbeine dienen als Sprungbeine. Alle Pfoten haben lange Krallen. Mit diesen hakt sich das Tier an der Borke der Bäume fest. Die Klettersohlen haben raue Haftballen. Dadurch rutscht das Eichhörnchen nicht auf den glatten Baumstämmen ab. Mit seinem langen, buschigen Schwanz steuert es und hält das Gleichgewicht, wenn es springt.

Der Kobel – das Nest des Eichhörnchens

Eichhörnchen bauen hoch oben in den Astgabeln der Bäume ihr kugeliges Nest, den Kobel. Dieser Kobel besteht aus verflochtenen Zweigen. Er hat zwei Öffnungen, das Einschlupfloch und das Fluchtloch. Innen ist er mit Moos, Blättern und Federn ausgepolstert.

Das Eichhörnchen zieht sich immer wieder in den Kobel zurück. Auch die Jungen, die Nesthocker sind, werden hier aufgezogen. Der Kobel bietet Schutz vor Habicht, Sperber, Eule und Fuchs. Nur der Baummarder, der größte Feind des Eichhörnchens, stellt ihm auch im Kobel nach.

Das Eichhörnchen ist ein Nagetier

Eichhörnchen haben ein kräftiges Nagetiergebiss. Mit diesem können sie die härtesten Schalen öffnen. Sie ernähren sich vor allem von Nüssen, Zapfen, Bucheckern, Eicheln, Zweigspitzen und jungen Knospen. Manchmal fressen sie aber auch Vogeleier und Jungvögel.

3 Fraßspuren.
A von einem Eichhörnchen; B von einer Maus

Das Eichhörnchen im Winter

Im Herbst vergräbt das Eichhörnchen an vielen Stellen im Erdboden Früchte und Samen. Den Winter verbringt es in seinem ausgepolsterten Kobel. Es hält Winterruhe. Von Zeit zu Zeit verlässt es den Kobel, um Kot und Urin auszuscheiden und Nahrung aufzunehmen. Es findet unter dem Schnee viele Vorräte wieder, die es im Herbst vergraben hat. Die vergessenen Samen keimen dann oft im Frühjahr aus.

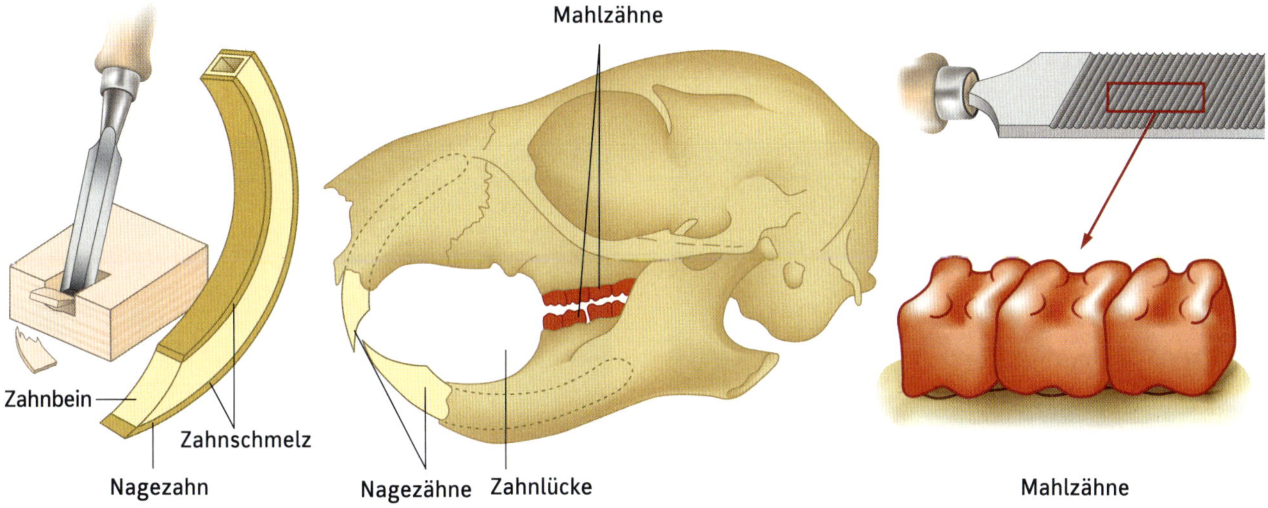

4 Bau und Arbeitsweise des Nagetiergebisses. Die Nagezähne arbeiten wie ein Meisel, die Mahlzähne (oder Backenzähne) wie eine Raspel. Beim Nagen nutzen sich die Nagezähne ab, sie wachsen aber ständig nach.

Nagezähne bleiben scharf

Die Vorderseite der Nagezähne ist dick mit Zahnschmelz überzogen, die Hinterseite jedoch kaum. So nützt sich der Nagezahn auf der Vorderseite weniger ab als auf der Rückseite. Daher schärfen sich Nagezähne selbständig nach.

5 Eichhörnchen beim Fressen

1 Beobachte das Verhalten von Eichhörnchen (in Parkanlagen oder in einem Film). Wie bewegt sich das Eichhörnchen am Boden, am Baumstamm, auf den Ästen oder beim Sprung von Baum zu Baum fort? Beschreibe jeweils die Körperhaltung, die Stellung des Schwanzes und die Haltung der Beine.

2 Sammle Zapfen und Nüsse mit Fraßspuren. Versuche festzustellen, von welchen Tieren die Früchte angenagt wurden. Erkläre. Vergleiche mit Abbildung 3 auf S. 58.

Jetzt weiß ich´s!

Das Eichhörnchen ist ein **Baumbewohner**. Sein kugeliges Nest heißt **Kobel**. Der Bau des schlanken, leichten Körpers ist der Lebensweise angepasst: **Sprungbeine**, **Pfoten mit langen Krallen**, **Klettersohlen mit Haftballen** und ein buschiger **Schwanz**, mit dem das Tier steuert und sein Gleichgewicht hält. Das Eichhörnchen ist ein **Nagetier**. Im Winter hält das Eichhörnchen **Winterruhe**.

Rehe sind Kulturfolger

1 Rehe in einer Kulturlandschaft

2 Junges Reh

Der Mensch nutzt Wald, Wiesen und Felder. In diesen Gebieten leben auch Rehe. Sie folgten dem Menschen in seinen Lebensraum und können hier überleben. Man nennt sie daher auch Kulturfolger. Meist trifft man sie in Rudeln an. Ihre Nahrung besteht vor allem aus zarten Blättern und Gräsern. Rehe sind wie Rinder Wiederkäuer.

Ein paarhufiger Zehenspitzengänger

Rehfährten geben der Jägerin oder dem Jäger zum Beispiel Auskunft darüber, wie groß ein Rudel ist. Die Spitzen der beiden Mittelzehen sind durch Hufe geschützt. Im weichen Boden hinterlassen die Rehe damit zwei Abdrücke pro Fuß. Rehe sind paarhufige Zehenspitzengänger.

Rehe sind Fluchttiere

Rehe flüchten bei den kleinsten Anzeichen einer Bedrohung. Ihr gutes Gehör und ihr sehr empfindlicher Geruchssinn warnen sie vor Gefahren. Statt anzugreifen, laufen sie davon. Sie sind Fluchttiere. Rehe haben drei natürliche Feinde: Wolf, Luchs und Bär, die langsam in unsere Wälder wieder zurückkehren. Das Räuber-Beute Verhältnis ist daher nicht im Gleichgewicht. Deshalb ist die Arbeit der Jägerin und des Jägers aus dem Wald nicht wegzudenken.

Junge Rehe sind Nestflüchter

Das Weibchen setzt im Mai ein bis zwei Junge. Obwohl sie Nestflüchter sind, halten sie sich die ersten Tage geduckt im Gras oder Gebüsch versteckt.

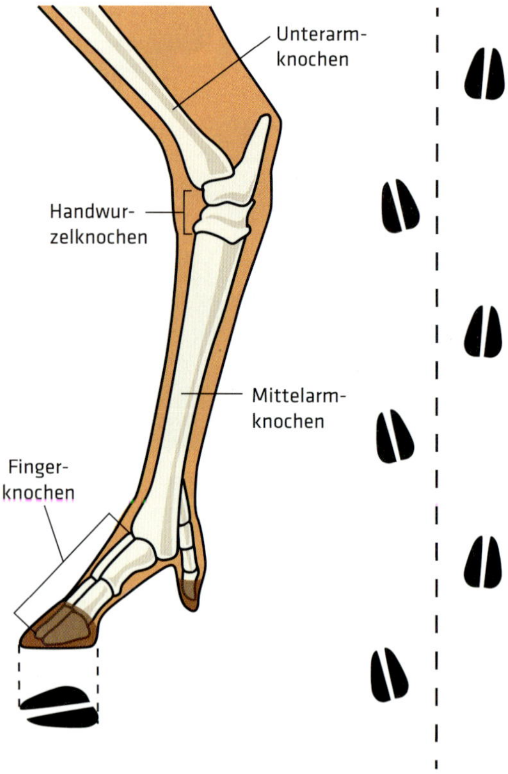

3 Fuß und Fußabdruck des Rehs

A Knochenzapfen der Stirnbeine: ab November

B Stangen mit Bast: Jänner/Februar

C Bast wird abgefegt: März/April

D Fertiges Geweih: Mai bis Oktober

4 Geweihbildung beim Rehbock ab dem dritten Jahr. Das Geweih ist zunächst noch von Bast (ausgetrocknete Haut) umgeben, der im Frühjahr abgerieben (gefegt) wird. So können Fegeschäden an Bäumen entstehen.

Das Geweih

Die männlichen Rehe, die Rehböcke, erkennst du am Geweih, einem Knochenfortsatz. Es wird jedes Jahr im Spätherbst abgeworfen. Im Frühjahr wächst es wieder neu und größer. Am Geweih erkennst du das Alter und die Stärke eines Rehbocks.

5 Rehbock mit Geweih

1 Früher mussten Menschen auf die Jagd gehen, um sich die Nahrung zu erjagen. Beschreibe, welchen Sinn die Jagd in der heutigen Zeit hat. (Informiere dich im Internet oder in der Bibliothek).

2 Erkläre anhand der Abbildung 4 und 5, wie sich beim Rehbock das Geweih entwickelt.

Jetzt weiß ich´s!

Rehe sind **Kulturfolger**. Sie sind **paarhufige Zehenspitzengänger**. Als Fluchttiere haben sie ein gutes Gehör und einen empfindlichen Geruchssinn. Sie sind **Wiederkäuer**. Nur **Rehböcke** tragen ein Geweih, das sie im Spätherbst abwerfen. Im Frühjahr wächst es wieder neu.

Die Fünf-Schritte-Lesemethode

Im Biologieunterricht lernst du verschiedene Tiere und Pflanzen kennen.
In einem Lexikon, einem Sachbuch oder im Internet findest du zusätzliche Informationen.
Um solche Texte besser zu verstehen, könnten dir folgende Schritte helfen.

1. Schritt: Text genau lesen

Lies dir den Text mehrmals genau durch. So bekommst du einen Überblick über den Inhalt.

2. Schritt: Unbekannte Wörter und Begriffe klären

Wenn im Text Begriffe vorkommen, die du nicht verstehst, musst du diese in einem Lexikon, einem Wörterbuch oder im Internet nachschlagen. Trage die Begriffe in die linke Spalte, deren Bedeutung in die rechte Spalte eines Vokabelheftes ein.
In einem Lexikon erhältst du zum Beispiel für den Begriff Balg folgende Erklärung:
Balg = Fachbegriff für das Fell des Fuchses.
Suche den Begriff Fähe im Internet. Gib unter http://www.google.at als Suchbegriff „Ricke“ ein. Du findest mehrere Einträge. Wähle Ricke – Wikipedia. Dann kommt die Erklärung:
Der Begriff Ricke ist eine Bezeichnung für das weibliche Reh.

3. Schritt: Zwischenüberschriften schreiben

Gliedere den Text in Abschnitte, die du z. B. durch Schrägstriche kennzeichnest (Abb. 1, S. 63).
Überlege pro Abschnitt eine kurze Überschrift:

1. Körperlänge
2. Körpergröße
3. Gewicht
4. Fellfarbe
5. Nahrung
6. Fortpflanzung

4. Schritt: Schlüsselstellen markieren

Lies dir den Text genau durch. Markiere nur die wichtigsten Informationen, die Schlüsselstellen z. B. mit einem Textmarker.

5. Schritt: Zusammenfassung schreiben

Fasse mithilfe der Zwischenüberschriften und der Schlüsselstellen den Inhalt des Textes zusammen. Hier ein Beispiel für eine Zusammenfassung des Textes in Abb. 1, S. 63:

➡ Zusammenfassung:
Der Rotfuchs ist ein Raubtier. Er wird 50 bis 90 cm lang und bis 40 cm hoch. Ein Fuchs wiegt zwischen 2,2 und 10 kg. Sein Fell ist rotbraun, an der Unterseite weiß. Mäuse sind seine Hauptnahrung. Im Frühling bringt die Füchsin drei bis fünf Junge zur Welt. (48 Wörter)

Der Rotfuchs

Der Rotfuchs gehört zu den hundeartigen Raubtieren. Er erreicht eine Körperlänge zwischen 50 und 90 cm.[1] / Seine Körpergröße liegt zwischen 35 und 40 cm.[2] / Das Gewicht eines ausgewachsenen Rotfuchses liegt zwischen 2,2 und 10 kg.[3] / Sein Fell ist rotbraun gefärbt. Die Unterseite von Kopf, Hals und Rumpf ist hellweiß.[4] / Der Rotfuchs ernährt sich hauptsächlich von Mäusen. Daneben stehen noch Insekten, Frösche, Beeren und Aas auf seinem Speiseplan.[5] / Im Jänner/Februar paaren sich die Rotfüchse. Die Fähe wölft im März/April vier bis sechs Junge.[6]

1 Text mit Zwischenüberschriften

Braunbär in Gefahr

„Seit mehr als 20 Jahren arbeitet der WWF zusammen mit seinen Partnern an einem ehrgeizigen Ziel: Den Braunbären in den Alpen wieder heimisch zu machen. 1972 wanderte erstmals seit 150 Jahren wieder ein Braunbär nach Österreich ein. 1989 und 1993 wurden vom WWF drei weitere Bären aus Slowenien und Kroatien in Österreich freigelassen. Insgesamt wurden 31 Jungtiere in Österreich geboren, die größte Bärendichte wurde 1999 mit zwölf Individuen erreicht. [...] Ab 1999 gab es jedoch fast jedes Jahr ungeklärte Abgänge von Bären, die meisten Tiere verschwanden 2000. Seit 2002 hat es keinen neuerlichen Aufschwung der Population gegeben."

(Quelle WWF, Stand Oktober 2010)

1 Schreibe den Text über den Braunbären ab und werte ihn mit der Fünf-Schritte-Lesemethode aus. Verwende für die Zusammenfassung höchstens 50 Wörter.

2 Kreuzworträtsel. Lies dir auf www.natur-lexikon.com den Text über den Braunbären genau durch. Löse dann das Rätsel. Die markierten Kästchen ergeben ein Lösungswort.

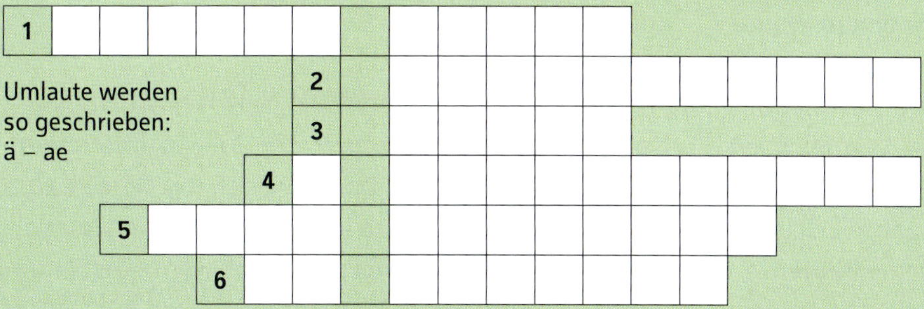

Umlaute werden so geschrieben: ä – ae

1) Wie heißen die größten Braunbären?
2) Bären fressen Fleisch, Fisch, Aas und Pflanzen. Sie sind daher ...
3) Braunbären kommen in drei Erdteilen vor: in Asien, Nordamerika und ...
4) Die nordamerikanischen Braunbären sind grauhaarig. Man nennt sie ...
5) Bären leben nicht in Familien. Sie sind ...
6) Im Winter halten Braunbären einen ...

2 Braunbär

Der Fuchs ist ein Einzelgänger

1 Jungfüchse vor dem Bau

2 Fuchs

Der Fuchs kann sich an unterschiedliche Lebensräume anpassen. Man findet ihn zum Beispiel an Meeresküsten, in Wüstengebieten, in Wäldern oder sogar in Städten.

Das Jagdverhalten des Fuchses

Füchse jagen meist alleine. Sie sind Einzelgänger. Langsam schleichen sie sich an ihre Beute wie Mäuse, Frösche, Käfer oder Kaninchen heran, springen dann zielsicher wie eine Katze mit einem hohen, weiten Sprung auf die Beute und drücken diese mit ihren Vorderpfoten zu Boden. Ein kräftiger Biss tötet sie.
Da der Fuchs, im Gegensatz zu einem Wolfsrudel, als Einzelgänger jagt, muss er sich auch mit kleinen Beutetieren wie Mäusen begnügen. Überschüssige Beute wird von Füchsen für Notzeiten vergraben. Der Winter ist für den Fuchs keine Notzeit. Im Gegenteil: Schwache und kranke Tiere werden seine Beute.

Die Welpen sind Nesthocker

Eine Füchsin, die Fähe, wärmt ihre vier bis sechs nackt, blind und taub geborenen Welpen mit ihrem Fell. Sie sind Nesthocker. Die Jungfüchse sind schon nach zehn Monaten geschlechtsreif.

Manche Füchse haben ein riesiges Revier

Das Revier eines Fuchses ist etwa 30 bis 1300 Hektar groß. (Das entspricht etwa 42–1820 Fußballfeldern.) Fuchspaare bleiben ein ganzes Leben lang zusammen. Die weiblichen Nachkommen des Paares helfen oft mit, die jüngeren „Geschwister" zu versorgen. In guten Zeiten wandern sie dann in andere Reviere ab.

Vorsichtig und scheu

Der Fuchs ist ein sehr vorsichtiges und scheues Tier. Sein Bau hat mehrere, entfernt voneinander liegende Ausgänge, die gut getarnt sind. So hat er mehrere Fluchtmöglichkeiten, wenn ihn etwa ein Luchs verfolgt. Wittert die Füchsin Gefahr, schleppt sie ihre Welpen sofort in einen anderen Bau.

Möglicher Überträger des Tollwuterregers

Der Fuchs kann die Erreger der Tollwut übertragen. Früher versuchte man, ihn deswegen mit Giftgas auszurotten, oder man jagte ihn. Heute legt man Impfköder aus. Werden sie vom Fuchs gefressen, so ist er gegen die Erreger der Tollwut geschützt und muss nicht unnötig gejagt werden.
Achtung: Waldtiere, die nicht scheu sind, können Tollwut haben. Berühre diese Tiere nicht!
Wurdest du gebissen, mußt du unbedingt zu einer Ärztin oder zu einem Arzt. Dort wirst du geimpft.

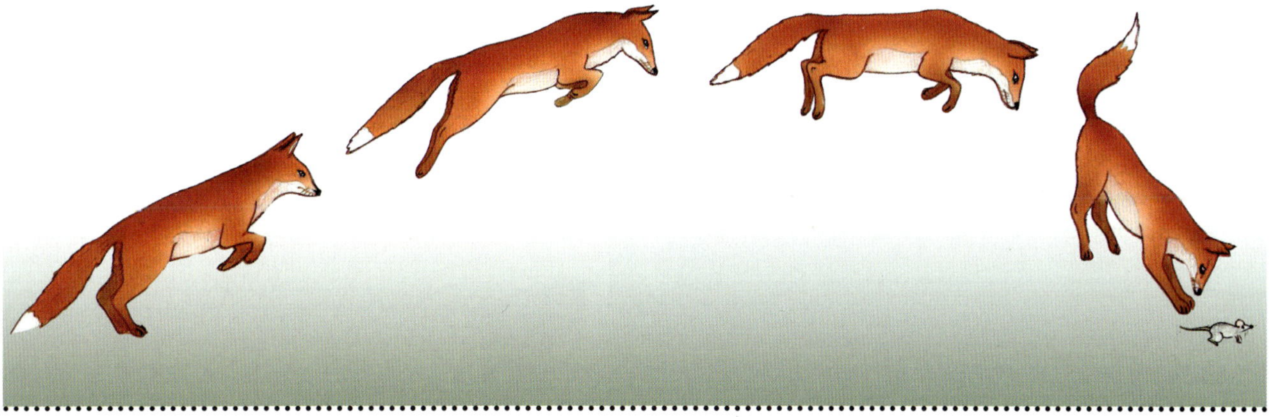

3 Fuchs beim Jagen

4 Fuchs auf Nahrungssuche im Winter

1 Vergleiche die Verhaltensweise eines Fuchses mit der eines Hundes und der einer Katze. Trage die Ergebnisse in eine Tabelle ein.

2 Ohne Impfung verläuft die Tollwut sowohl beim Tier als auch beim Menschen tödlich. Informiere dich darüber im Internet.

Jetzt weiß ich´s!

Der Fuchs ist ein sehr **scheues** und **vorsichtiges** Tier. Seine Beute sind meist Kleintiere. Als **Einzelgänger** gelingt es ihm kaum, größere Beutetiere zu erlegen. Sein **Bau** hat mehrere Ausgänge. Er liegt mitten im **Revier** des Fuchses. Der Fuchs ist ein **möglicher Überträger der Tollwuterreger**.

Fledermäuse jagen in der Luft

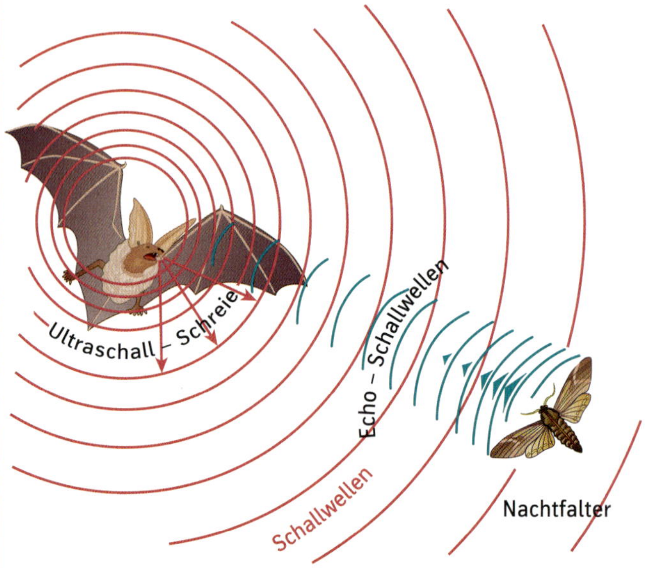

1 Fledermaus im Flug (links); auf Beutejagd (rechts)

Ein Nachtjäger

Erst in der Nacht beginnt die Fledermaus zu jagen. Als Nachtjäger erbeutet sie Fliegen, Mücken, Käfer und Nachtschmetterlinge. Sie hat ein Insektenfressergebiss. Mit ihren spitzen Zähnen werden die Insekten ergriffen und noch im Flug zermalmt.

Die Fledermaus „hört" Hindernisse

Während die Fledermaus fliegt, stößt sie Rufe aus, die der Mensch nicht hören kann. Es handelt sich um Ultraschalllaute. Treffen Ultraschall-Schreie auf Hindernisse oder Beutetiere, werden sie als Echo zurückgeworfen. Mit den großen Ohrmuscheln fängt die Fledermaus dieses Echo auf. Zwischen dem Ausstoßen der Rufe und dem Empfang des Echos vergeht Zeit. Aus dieser Zeit schließt die Fledermaus, wie weit ein Beutetier entfernt ist. Der Gehörsinn der Fledermaus ist so gut ausgebildet, dass sie auch im Dunkeln kleinste Hindernisse wahrnimmt.

Die Fledermaus ist ein Flattertier

Die Flügel eines Vogels sind mit Federn besetzt. Die Fledermaus hat hingegen eine dünne Flughaut, die zwischen Armen, Beinen, Rumpf und Schwanz gespannt ist. Sie überspannt die stark verlängerten Mittelhand- und Fingerknochen. Nur der kurze Daumen und die Füße bleiben frei. Gleiten und segeln wie ein Vogel kann die Fledermaus damit nicht gut. Sie flattert. Fledermäuse gehören zu den Flattertieren.

Ein Junges pro Jahr

Die Fledermaus ist ein fliegendes Säugetier. Ein Weibchen bringt in einem Jahr meist nur ein Junges zur Welt, das sich am Körper der Mutter festklammert. In den ersten Lebenswochen nehmen die Weibchen die Jungtiere während des Fluges mit. Die Jungtiere werden gesäugt.

Die Fledermaus hält einen Winterschlaf

Im Winter findet sie keine Insekten. Um während des Winters nicht zu verhungern, hält die Fledermaus einen Winterschlaf in Höhlen, Dachböden, Kellerräumen oder Kirchtürmen. Während sie von Oktober bis in den März hinein schläft, sind Herztätigkeit, Atmung und der gesamte Stoffwechsel herabgesetzt. So sinkt die Körpertemperatur von 37 °C auf etwa 5 °C. Als Nahrungsreserve dient das im Körper gespeicherte Fett.

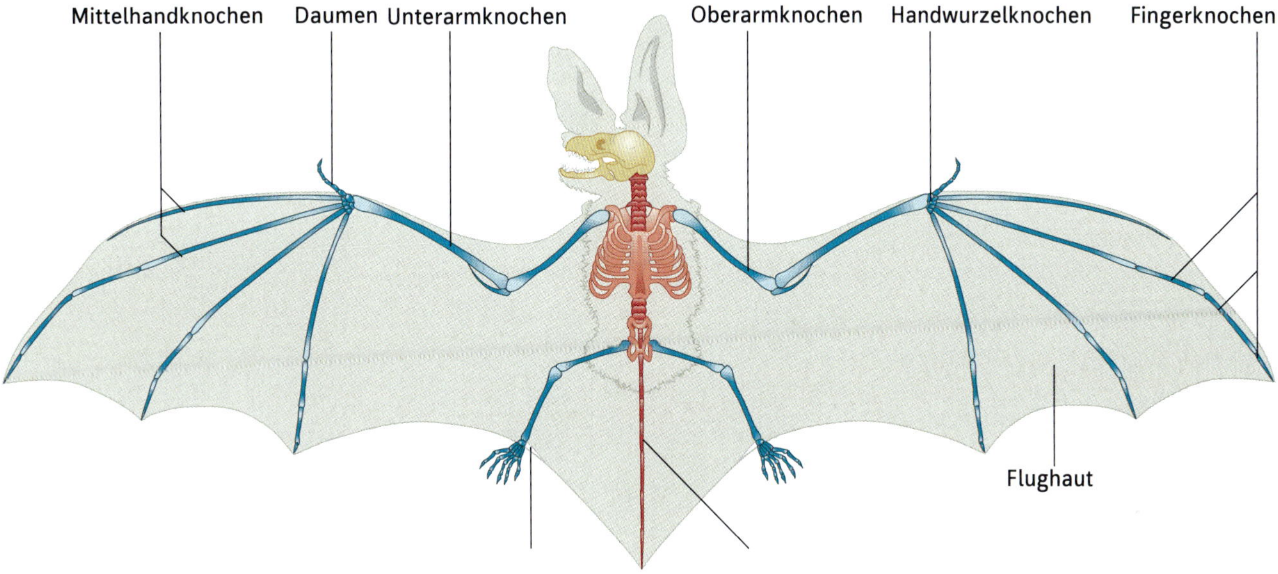

2 Skelett der Fledermaus

Fledermäuse schlafen tagsüber

Den Tag verbringen Fledermäuse in ihrem Versteck. An Mauervorsprüngen, Balken oder in Baumhöhlen halten sie sich mit den Krallen ihrer Hinterbeine fest. Sie schlafen so mit dem Kopf nach unten. Die Flughaut ist dabei zusammengefaltet und liegt eng am Körper an.

Vom Aussterben bedroht

Fledermäuse stehen unter Naturschutz. Ihr gefährlichster Feind ist der Mensch. Er vertreibt sie aus ihren Verstecken und stört ihren Winterschlaf. Die Tiere wachen auf, verbrauchen dabei Fettreserven und sterben oft. So fehlt vielen Insekten dieser natürliche Feind. Die Zahl der Insekten nimmt zu. Deshalb setzt der Mensch häufig chemische Insektenvernichtungsmittel ein. Damit wird aber auch die Nahrung für die Fledermäuse immer weniger.

3 Braunes Langohr – die häufigste Fledermausart in Österreich

4 Hängende Fledermaus

1 Erkläre mithilfe des Internets, warum während des Winterschlafs die Körpertemperatur sinkt. Welchen Vorteil bringt das den Fledermäusen?

Jetzt weiß ich´s!

Die Fledermaus ist ein **Insektenfresser** und ein **Nachtjäger**. Sie kann Hindernisse „hören“: Sie „sendet“ Ultraschalllaute aus. Diese werden von einem Hindernis als Echo zurückgeworfen und von den großen Ohrmuscheln der Fledermäuse aufgefangen. Zwischen Rumpf, Gliedmaßen und Schwanz spannt sich eine **Flughaut**. Damit kann die Fledermaus fliegen. Die Fledermaus ist ein **Flattertier**. Sie hält einen **Winterschlaf**.

Fledermausarten bestimmen

Toni Vorauer aus Innsbruck ist ein Fledermausforscher. Er hat festgestellt, dass es in einzelnen Gegenden Österreichs nur mehr wenige Fledermäuse gibt, in anderen aber noch viele. Da Fledermäuse viele Insekten fressen, sind sie aus Sicht der Menschen nützliche Tiere. Daher beauftragen einzelne Gemeinden den Fledermausforscher zu erheben, wie viele Fledermäuse in ihrem Gebiet noch vorkommen. Der Forscher sucht in Kirchtürmen, Dachböden und Felsenhöhlen nach Spuren von Fledermäusen und bekommt so einen ersten Eindruck. Abends spannt er entlang ihrer Flugrouten Netze. Er fängt damit Tiere, obwohl sie durch das Aussenden von Ultraschall-Lauten die Netze entdecken könnten. Weil sie aber ein gutes Ortsgedächtnis haben, stoßen sie auf ihren gewohnten Flugrouten keine Laute aus und verfangen sich so im Netz. Der Biologe bestimmt die gefangenen Tiere, fotografiert einige besonders schöne Exemplare und lässt sie dann wieder frei.

Du kannst nun einen Teil der Arbeit des Forschers kennen lernen, indem du mit dem Bestimmungsschlüssel auf Seite 69 die Namen der abgebildeten Fledermausarten herausfindest.

1

Einzelarbeit

Betrachte das Bild A und lies dazu den Text zum Merkmal 1. des Bestimmungsschlüssels auf Seite 69 durch. Stimmt eine Beschreibung mit dem Bild überein? Wenn nicht, gehe zu Merkmal 2 und lies dieses durch. Vergleiche das beschriebene Merkmal mit dem Foto. Wenn es zum Foto passt, bist du beim richtigen Namen der Fledermaus angelangt. Schreibe ihn mit Bleistift unter das Foto. Bestimme auf diese Weise alle sechs abgebildeten Fledermausarten.

A

B

C

D

E

F

Merkmal 1	Nase mit halbkreisförmigem Nasenaufsatz, sehr spitze Ohrmuscheln	ja nein	Hufeisennase weiter zu 2
Merkmal 2	Ohrmuscheln sind an der Basis zusammengewachsen	ja nein	Mopsfledermaus weiter zu 3
Merkmal 3	riesige Ohrmuscheln mit seitlichen Falten	ja nein	Langohrfledermaus weiter zu 4
Merkmal 4	Ohrmuscheln ohne Falten, lang und spitz, helle Kehle	ja nein	Großes Mausohr weiter zu 5
Merkmal 5	Ohrmuscheln kurz und rund mit wenigen Falten, Kopfhaar braun	ja nein	Abendsegler weiter zu 6
Merkmal 6	Ohrmuscheln kurz und rund mit wenigen Falten, Kopfhaar dunkel mit grauen Spitzen, Kehle und Brust hell	ja	Zweifarbfledermaus

2

Gruppenarbeit

1. Vergleicht eure Bestimmungsergebnisse. Besprecht sie ausführlich und begründet eure Entscheidungen. Einigt euch auf ein gemeinsames Ergebnis.

2. Jedes Gruppenmitglied kann sich nun auf eine Fledermausart spezialisieren und darüber Informationen sammeln. Einigt euch, wer über welche Art Informationen sucht. Sucht dann in euren eigenen Büchern, in der Schulbibliothek und im Internet Antworten auf folgende Fragen:

- Wo verbringt deine Fledermausart den Tag?
- Wo bringt sie ihre Jungen zur Welt?
- Wo hat sie ihre Kinderstube?
- Wann fliegt sie?
- Welche Flugrouten nimmt sie?
- Was frisst sie?
- Welche Bedeutung hat sie für uns Menschen?
- Wie können wir sie schützen?

3. Tragt eure Ergebnisse zusammen und gestaltet damit ein Fledermausplakat. Bereitet damit eine Gruppenpräsentation vor.

3

Gruppenpräsentation

Säugetiere und ihre Verwandtschaft

1 Ordnungen der Klasse Säugetiere

Beim Besuch eines Zoos ist dir bestimmt aufgefallen, dass heimische und exotische Tiere gezeigt werden. Tiere, die sich in Freiheit einen Lebensraum teilen, versucht man meistens auch in Gehegen gemeinsam unterzubringen. Heimische und exotische Tiere sind jedoch oft miteinander verwandt, weil sie gemeinsame Merkmale haben (z. B. Löwe und Wildkatze).
In der Abbildung auf dieser Doppelseite ist die Klasse der Säugetiere dargestellt.

Klasse der Säugetiere

Alle Tiere, die ihre Jungen mit Muttermilch ernähren, bilden die Klasse der Säugetiere.

Ordnung der Raubtiere

Die Klasse der Säugetiere umfasst viele Ordnungen. Wir wollen die Ordnung der Raubtiere näher betrachten.

Familie der Hundeartigen

In der Ordnung der Raubtiere gibt es viele Familien, wie z. B. die Familie der Hundeartigen. Diese lässt sich wieder in unterschiedliche Gattungen einteilen.

Gattung der Wölfe

Bei der Familie der Hundeartigen sind es zum Beispiel die Gattungen Füchse und Wölfe.

Unterart der Haushunde

Die Gattung der Wölfe enthält mehrere Arten, wie den Wolf mit der Unterart Haushund. Die verschiedenen Hunde, die du kennst, sind Hunderassen.

Rasse der Schäferhunde

Als Rassen bezeichnet man die unterschiedlichen Formen, die sich innerhalb einer Art entwickelt haben. Der Schäferhund ist eine Rasse der Unterart Haushund.

1 Schreibe Säugetiere auf, die in diesem Buch vorkommen. Ordne sie nach ihrer Verwandtschaft. Ein Tierlexikon und das Internet helfen dir dabei.

2 Familien der Ordnung Raubtiere

Jetzt weiß ich´s!

Eine **Klasse** lässt sich in Ordnungen unterteilen. Eine **Ordnung** umfasst verschiedene Familien. In einer **Familie** gibt es unterschiedliche Gattungen. Jede **Gattung** besteht aus mehreren Arten. Innerhalb einer Art gibt es **Rassen.**

!!

Welche Behauptung stimmt?

Bei jeder Frage stehen drei Behauptungen zur Auswahl.
Aber nur eine davon stimmt. Welche? Kreuze die richtige an.

Eichhörnchen haben

- [ ] kräftige Sprungbeine.
- [ ] lange Laufbeine.
- [ ] Grabbeine.

Fledermäuse jagen

- [ ] nachts.
- [ ] tagsüber.
- [ ] rund um die Uhr.

Der **Fuchs** jagt

- [ ] im Rudel.
- [ ] als Einzelgänger.
- [ ] in Kleingruppen.

Der **Maulwurf** ist ein

- [ ] Pflanzenfresser.
- [ ] Fleischfresser.
- [ ] Insektenfresser.

Rehe sind

- [ ] Fleischfresser.
- [ ] Pflanzenfresser.
- [ ] Allesfresser.

Fledermäuse

- [ ] halten eine Winterruhe.
- [ ] fallen in Winterstarre.
- [ ] halten einen Winterschlaf.

Eichhörnchen bauen ihre Nester

- [ ] in Erdmulden.
- [ ] auf Bäumen.
- [ ] unter der Erde.

Der Lebensraum der **Rehe** sind / ist

- [ ] Wald, Wiese und Feld.
- [ ] das Gebirge.
- [ ] das flache Grasland.

Wie verhält sich der **Hase** bei Gefahr?

- [ ] Er flüchtet in seinen Bau.
- [ ] Er flüchtet und schlägt dabei Haken.
- [ ] Er versteckt sich im Gebüsch.

Säugetiere haben ein

- [ ] Pflanzenfressergebiss.
- [ ] Gebiss, das an die Ernärungsweise angepasst ist.
- [ ] Fleischfressergebiss.

Kaninchen haben in einem Jahr

- [ ] bis zu 10 Junge.
- [ ] bis zu 60 Junge.
- [ ] bis zu 100 Junge.

Das Revier des **Fuchses** ist

- [ ] 10–1000 ha groß.
- [ ] 30–1300 ha groß.
- [ ] 30–1300 a groß.

ha = Hektar = 10 000 m^2
a = Ar = 100 m^2

Säugetiere sind

- [ ] Nesthocker.
- [ ] Nestflüchter.
- [ ] entweder Nesthocker oder Nestflüchter.

Das Fell des **Maulwurfs** hat keinen Strich.

- [ ] So kann er im Erdgang ungehindert laufen.
- [ ] Dadurch ist er vor Kälte und Nässe besser geschützt.
- [ ] Dadurch wird er nicht so schmutzig.

RATESPORT! – SÄUGETIERE IN IHREM LEBENSRAUM

!!!

Säugetier-Quartett

Auf dieser Seite sind Begriffe durcheinander gepurzelt. Ordne immer vier Begriffe zu einem „Quartett“. Danach überlege, welche Tiernamen du deinen Quartetten als Überschriften geben könntest. Fülle die Tabelle aus.

Tiername ? | walzenförmiger Rumpf | Klettersohlen | Winterschlaf | Haken schlagen

Tiername ? | Sprungbeine | Ultraschall | Rüsselknorpel | Kolonien

Tiername ? | Geweih | Dämmerungstier | Geiß | Kurzstreckenläufer

Tiername ? | Rehbock | Wohnkessel | Langstreckenläufer | Flattertier

Tiername ? | Nachtjäger | Grabbeine | Nagezähne | Kitz

Tiername ? | Sasse | dichtes Fell ohne Strichrichtung | Fluchttier | Kobel

Tiername		
1	2	3
4	5	6

Vier zu einem Tiernamen passende Begriffe (Quartett)
1
2
3
4
5
6

Warum können Vögel fliegen?

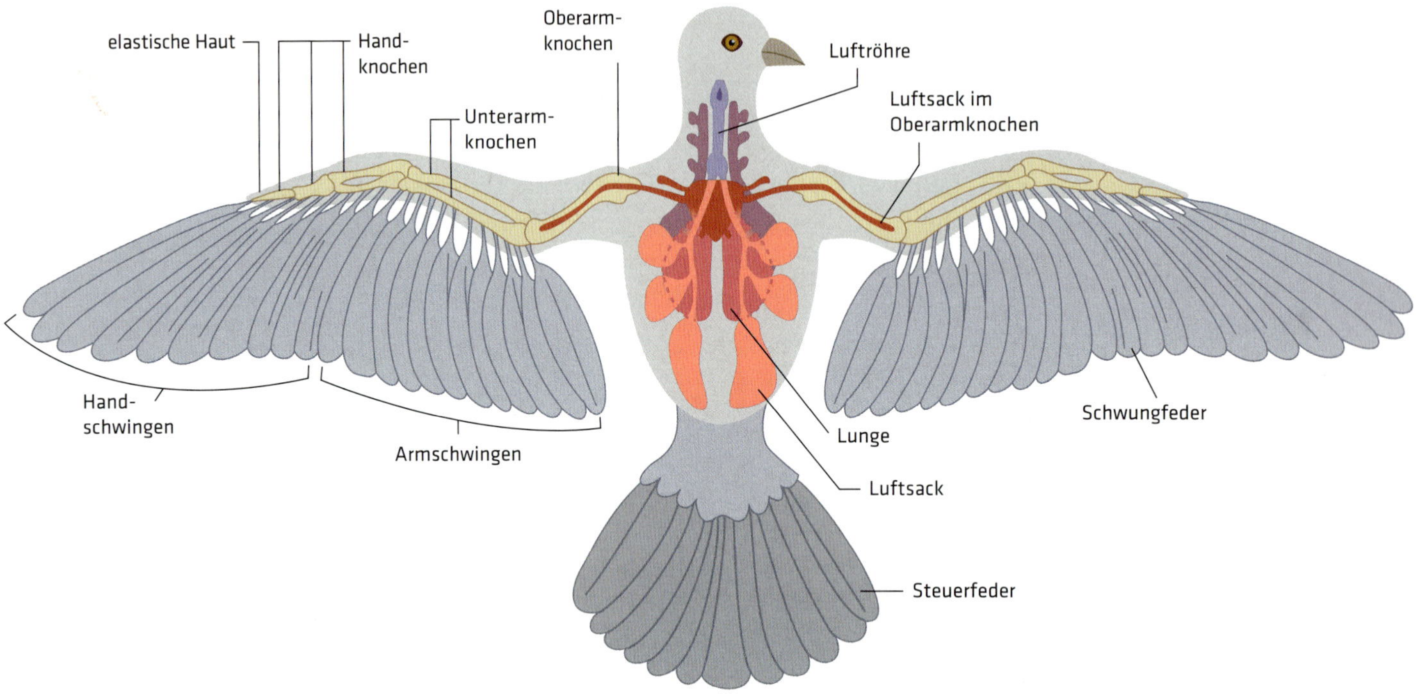

1 Leichtbauweise des Vogelkörpers

Vögel kann man von allen anderen Tierarten gut unterscheiden. Ihre Flügel und besonders ihr Federkleid sind eindeutige Merkmale.

Das Federkleid

Der Körper eines Vogels ist mit einem Federkleid bedeckt. Nur Schnabel und Füße haben kein Gefieder. Am Schwanz fallen die besonders langen Steuerfedern, an den Flügeln die langen Schwungfedern auf. Der restliche Körper ist mit Deckfedern besetzt. Diese bilden eine Schutzdecke. Darunter liegen die weichen Flaumfedern oder Daunen. Zwischen den Flaumfedern bilden sich Luftpolster aus. Diese schützen vor Kälte und Hitze.

Die Flügel – umgestaltete Vordergliedmaßen

Die beiden Flügel werden beim Fliegen ausgebreitet. Dabei bilden die Federn eine geschlossene Fläche. Wie beim Armskelett des Menschen besteht auch der Flügel der Vögel aus Oberarm-, Unterarm- und Handknochen. Flügel sind also umgestaltete Vordergliedmaßen. An Elle und Speiche sowie den verlängerten Handknochen setzen die Schwungfedern an.

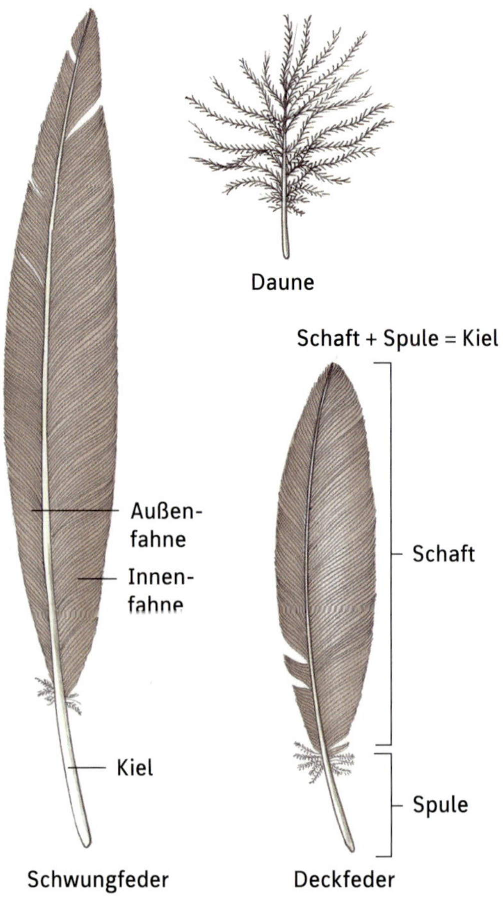

2 Verschiedene Federarten

3 Haustaube

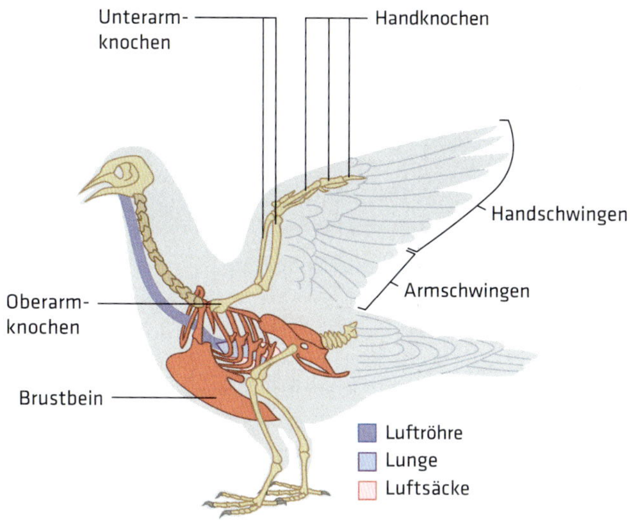

4 Haustaube (Skelett, Flügel und Luftsäcke)

Der Vogelkörper – eine „Leichtbaukonstruktion“

Beobachte Tauben. Ihr Körper ist stromlinienförmig gebaut. Diese Körperform bietet der Luft wenig Widerstand. Um sich in der Luft halten zu können, dürfen Vögel nicht zu schwer sein. Deshalb ist der Vogelkörper speziell gebaut. Die Knochen sind dünnwandig und hohl. Der Schnabel besteht aus leichtem Horn. Trotzdem muss das Knochengerüst der Vögel stabil sein. Alle Wirbel sind fest miteinander verwachsen, Rippen und Brustbein sind starr miteinander verbunden.

Auch die Ernährung und die Fortpflanzung sind dem Fliegen angepasst. Flugfähige Vögel fressen oft und scheiden die Nahrungsreste schnell wieder aus. Sie haben eine rasche Verdauung. So wird ihr Körpergewicht kaum durch das Gewicht der Nahrung beeinträchtigt.

Die Luftsäcke

Eine Besonderheit bei Vögeln sind die Luftsäcke. Das sind Ausstülpungen der Lunge, die mit Luft gefüllt sind und den ganzen Körper durchziehen. Dank der Luftsäcke gelangt sauerstoffreiche Luft in die Lunge, auch wenn das Tier ausatmet. Eine weitere Aufgabe der Luftsäcke ist es, die Muskeln des Vogels zu kühlen, wenn er sich angestrengt hat.

5 Star

6 Sperling (Hausspatz)

7 Abwärtsbewegung beim Ruderflug

8 Aufwärtsbewegung beim Ruderflug

Ruderflug und Segelflug

Tauben schlagen ihre Flügel rasch auf und ab. Dieser Ruderflug erfordert Muskelkraft. Werden die Flügel abwärts geschlagen, bilden die Federn eine Fläche, durch die keine Luft hindurch kann. Dadurch wird der Vogel nach vorne gedrückt. Werden die Flügel nach oben bewegt, kann Luft zwischen den Schwungfedern hindurchströmen. Dadurch sackt der Vogel in der Luft nicht ab. Möwen, Greifvögel (siehe Seite 80/81) oder Störche können durch ihre gewölbte Flügelform längere Zeit mit ausgebreiteten Flügeln fliegen, ohne ihre Flügel zu bewegen. Sie segeln. Bei diesem Segelflug nutzen sie aufsteigende Luftmassen.

9 Eine Möwe im Segelflug

1. Was versteht man unter der „Leichtbaukonstruktion" der Vögel?

2. Besorge dir Vogelfedern (z. B. bei einem Bauernhof oder einem Zoo): Ordne sie in Schwung-, Steuer-, Deckfedern und Daunen. Klebe sie auf Karton. Beschrifte die Federarten. Woraus bestehen die einzelnen Federn? Beschrifte sie.

3. Beschreibe den Unterschied zwischen Ruderflug und Segelflug.

Jetzt weiß ich´s!

Der Vogelkörper ist eine **„Leichtbaukonstruktion"**: Dünnwandige und **hohle Knochen** (dennoch ein festes Knochengerüst), eine **rasche Verdauung**, um das Körpergewicht gering zu halten und die **Entwicklung der Jungen außerhalb des Vogelkörpers** machen das möglich. Das Gefieder besteht aus verschiedenen Federarten: **Steuer**-, **Schwung**-, **Deckfedern** und **Daunen**. **Luftsäcke** unterstützen die Atmung und kühlen die Muskeln.

Schwalben und Segler sind geschickte Flieger

1 Rauchschwalben (Nest oben offen)

2 Mehlschwalben (Nest mit kleinem Schlupfloch)

Schwalben sind Flugjäger

Schwalben können durch ihren schlanken Körper und die langen Flügel schnell fliegen. Die kleinen Füße bleiben während des Fluges im Gefieder verborgen. Auf der Jagd nach Mücken sperrt die Schwalbe den Schnabel weit auf. Er bildet eine Art Fangtrichter. Mit den scharfen Augen entdeckt die Schwalbe auch kleinste Insekten, die sie zielsicher im Flug fängt. Schwalben sind Flugjäger.

Rauch- und Mehlschwalbe

Die bei uns vorkommenden Rauch- und Mehlschwalben werden manchmal verwechselt. Du kannst die Rauchschwalbe aber leicht an ihren langen Schwanzspitzen und ihrer rotbraunen Kehle erkennen. Die Mehlschwalbe dagegen hat eine weiße Kehle. Ihr Schwanz ist kurz und nur wenig gegabelt.

Rückkehr der Uferschwalben

Die Uferschwalbe ist mit ca. 12 cm die kleinste Schwalbenart Europas. Sie gräbt bis 1 m tiefe Brutröhren in Flussuferwände oder in Lehmgruben. Früher war die Uferschwalbe an den Donau-Steilufern häufig zu finden. Aufgrund der Donau-Regulierung nahm ihr Bestand ab der Mitte des 19. Jahrhunderts immer mehr ab. Im Nationalpark Donau-Auen hat man naturnahe Uferbereiche wiederhergestellt. Seit 2007 brütet die Uferschwalbe nun wieder in Österreich, z. B. an den Steilufern der Donau. Das ist ein großer Erfolg im Artenschutz.

Mauersegler

Mauersegler ähneln den Schwalben, sie sind jedoch nicht mit ihnen verwandt. Bei uns sind sie nur von Mai bis Ende Juli anzutreffen. In pfeilschnellem Flug jagen sie nach Insekten. Pro Tag sind sie etwa 20 Stunden unterwegs, bis es finster wird. Bis zu 1000 Kilometer legen sie dabei zurück. Nur gelegentlich klammern sie sich mit ihren kurzen Beinen an Mauern und Felsen fest. Dann kannst du sehen, dass sich die sehr langen Flügel an ihren Spitzen überkreuzen.

Jetzt weiß ich´s!

Rauchschwalbe, Mehlschwalbe und Mauersegler sind **Flugjäger**. Sie ernähren sich von Insekten.

3 Mauersegler

Spechte sind Baumbewohner

1 Schwarzspecht mit Jungtieren. Schwarzspechte leben häufig in Nadelwäldern und werden fast so groß wie Krähen. Sie sind die größte einheimische Spechtart.

2 Buntspecht beim Larvenfang

In unseren Wäldern ist der Große Buntspecht zu Hause. Häufig hört man seinen lauten „Trommelwirbel". Auf diese Weise kennzeichnet er sein Revier und lockt paarungsbereite Weibchen an.

Kletterfüße und Stützschwanz geben Halt

Der Specht ist für ein Leben auf Bäumen wie geschaffen. Mit seinen Kletterfüßen hält er sich an der rauen Borke fest. Die vier Zehen haben scharfe, gebogene Krallen. Zwei Zehen sind wie Aufhängehaken nach vorne gerichtet. Die beiden anderen Zehen stehen nach hinten und stützen den Vogel. Der Stützschwanz mit den besonders starken Schwanzfedern gibt dem Specht sicheren Halt. So rutscht der Specht nicht vom Stamm ab.

Der Specht hat einen Meißelschnabel

Hat der Specht in der Borke oder im morschen Holz Beute aufgespürt, hämmert er mit seinem langen, keilförmigen und sehr harten Meißelschnabel auf den Baumstamm ein. Durch die kräftigen Hiebe splittern Rindenstücke und Holzspäne ab. So gelangt der Specht nach und nach zu den Insekten und Larven im Holz.

Eine Zunge mit Widerhaken

Hat der Specht den Fraßgang einer Larve freigelegt, schnellt die lange, dünne und biegsame Zunge aus dem Schnabel. Die Zunge hat an der Spitze Widerhaken. Mit diesen spießt der Specht größere Beutetiere auf. Kleinere Tiere bleiben am klebrigen Schleim der Zunge haften.

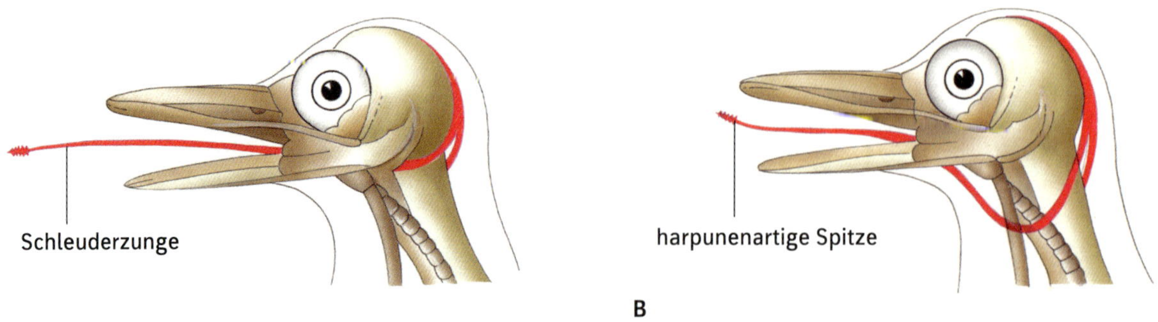

3 Spechtzunge. A vorgestreckt; B zurückgezogen

Die Spechtschmiede

Im Herbst, wenn die Insekten weniger werden, frisst der Specht die Samen von Fichten- oder von Föhrenzapfen. Die Zapfen klemmt er in geeignete Baumspalten oder in rissige Baumstümpfe ein. Dies nennt man Spechtschmiede. Dann bearbeitet er die Zapfen so lange, bis er mit der Zunge an die Samen gelangen kann.

Spechte sind Höhlenbrüter

Das Spechtpärchen meißelt gemeinsam eine Nisthöhle in einen meist morschen Baumstamm. Der Eingang führt leicht nach oben. So kann kein Regenwasser in die Höhle gelangen. Dahinter liegt die birnenförmige, nach unten führende Höhle, in der die Eier abgelegt und ausgebrütet werden. Spechte sind Höhlenbrüter. Die Jungen sind Nesthocker, weil sie nackt und blind zur Welt kommen und von den Eltern gefüttert und großgezogen werden.

4 Großer Buntspecht mit Spechtschmiede. In jedem Spechtrevier gibt es Spechtschmieden. Geeignete Spechtschmieden benutzt der Specht immer wieder.

5 Nisthöhle eines Großen Buntspechts. Die Wände sind meist abgestuft, sodass die Jungvögel daran hochklettern können.

1 Der Specht ist an das Leben auf Bäumen angepasst.
Begründe diese Behauptung.

2 Erkläre, ob der Bau der Zunge mit dem Beutefang zusammenhängt.

Jetzt weiß ich´s!

Spechte sind **Baumbewohner**. Durch einen „Trommelwirbel" kennzeichnet das Männchen sein Revier. **Kletterfüße** und **Stützschwanz** geben dem Specht sicheren Halt auf einem Baumstamm. Mit seinem **Meißelschnabel** und seiner besonders ausgebildeten **Zunge** erreicht er Beutetiere, die mehrere Zentimeter tief im Holz leben. Werden Insekten im Herbst weniger, ernährt sich der Specht auch von Samen der Waldbäume (**„Spechtschmiede"**). Spechte sind **Höhlenbrüter.**

Greifvögel sind gewandte Jäger

1 Hakenschnabel des Mäusebussards. Der Oberschnabel wirkt wie ein Reißhaken; die Schnabelränder wirken wie Scheren.

2 Greiffuß des Mäusebussards. 3 Zehen stehen nach vorne, 1 Zehe nach hinten; Hornschilder schützen vor Verletzungen.

3 Mäusebussard im Horst mit Jungtieren

Bussarde, Habichte, Sperber, Adler, Geier, Weihen und Falken bezeichnet man als Greifvögel. Ihr Körperbau ist an die Jagd von Kleinsäugetieren, Vögeln, Reptilien und Lurchen angepasst. Sie haben einen Hakenschnabel, einen ausgezeichneten Sehsinn und eine besondere Flugtechnik. Ihre Greiffüße, mit denen sie ihre Beute fangen, nennt man Fänge.

Der Mäusebussard auf der Jagd

Sieht der Mäusebussard ein Beutetier, steuert er im Sturzflug darauf zu. Knapp über dem Boden bremst er ab. Mit seinen Greiffüßen, den Fängen, fängt er die Beute. Er tötet sie mit seinen gekrümmten, dolchartigen Krallen an den Zehen. Die Hauptnahrung des Mäusebussards sind Feldmäuse. Aber auch Käfer, Schnecken, Eidechsen, Schlangen, Heuschrecken, Feldhamster und Maulwürfe werden von ihm gejagt. Gelegentlich schlägt er auch junge oder kranke Rebhühner, Fasane, Kaninchen und Feldhasen.

Das Gewölle

Der Mäusebussard verschlingt die Beute mit „Haut und Haaren". Mithilfe seines speziellen Magensaftes kann er sogar Knochen verdauen. Unverdauliches, wie Federn, Haare, Zähne oder Fellteile, wird als Ballen (Gewölle) herausgewürgt.

Jagdrevier und Horstrevier

Der Mäusebussard jagt tagsüber im freien Feld- und Wiesengelände. Im Schutz des Waldes liegt sein Horstrevier. Dort befinden sich sein Schlafbaum und sein Nest, der Horst.

Der Turmfalke

Mit seinen scharfen Augen hält der Turmfalke meist aus der Luft nach Mäusen Ausschau. Dazu bleibt er sogar manchmal „in der Luft stehen". Dabei schlägt er mit seinen Flügeln besonders schnell. Dies nennt man Rüttelflug. Hat er ein Beutetier entdeckt, legt er die Flügel an und „fällt" im Sturzflug zur Erde.

Der Habicht

Im Gegensatz zum Falken jagt der Habicht knapp über dem Boden. Hat er ein Beutetier erblickt, stürzt er sich auf dieses blitzartig.

Der Steinadler

Kein Vogel beherrscht den Segelflug besser als der Steinadler. Es ist ein unvergesslicher Anblick, ihn über schroffen Gipfeln segeln und gleiten zu sehen. (Die Flügelspannweite beträgt bis zu 2,3 Meter!) Die bevorzugte Beute dieses Greifvogels sind Murmeltiere.

Der Steinadler war in den Alpen beinahe ausgerottet. Es gelang jedoch, ihn wieder anzusiedeln. Nun steht er unter strengem Naturschutz.

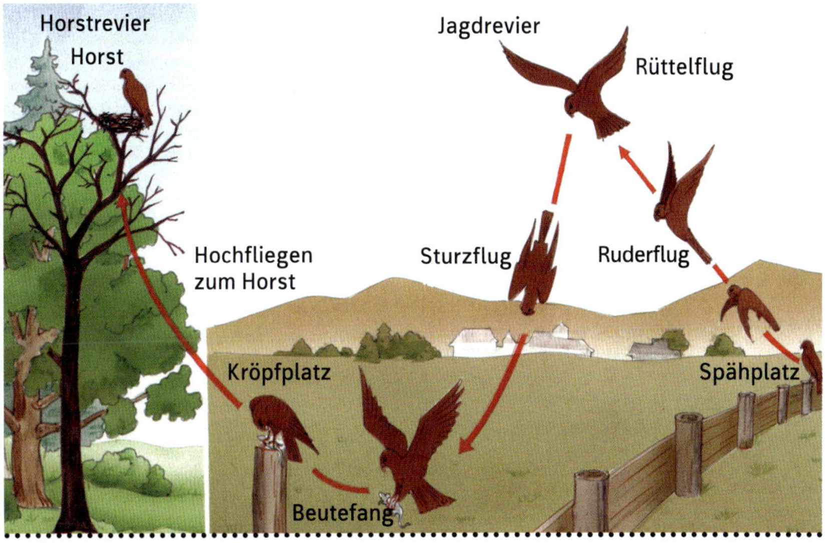

4 Flugarten im Jagd- und Horstrevier des Turmfalken

5 Steinadler

6 Turmfalke

7 Ein Habicht stürzt sich auf sein Beutetier.

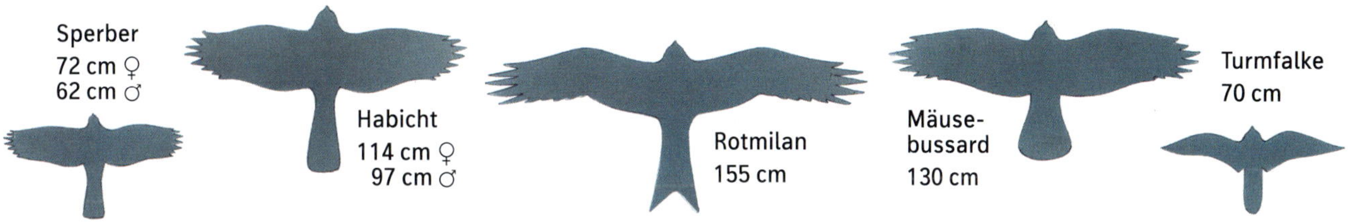

8 Flugbilder einheimischer Greifvögel

1 Der Mäusebussard hat aufgrund seiner Jagd- und Ernährungsweise spezielle Körpermerkmale. Zähle sie auf.

Jetzt weiß ich´s!

Greifvögel beherrschen Flugarten wie Ruder-, Gleit-, Rüttel- und Sturzflug. Mit ihren Greiffüßen umklammern sie die Beutetiere. Mit dem **Hakenschnabel** reißen sie Fleischstücke aus der Beute heraus und verschlingen diese mit „Haut und Haaren". Unverdauliches wird als **Gewölle** wieder herausgewürgt. Das Nest der Greifvögel nennt man **Horst**.

Wie jagen Eulen ihre Beute?

1 Schleiereule kehrt mit Beute zum Kröpfplatz zurück. Schleiereulen schlagen (erbeuten) in einer Nacht 3 bis 5 Mäuse. Wenn sie Junge haben, erhöht sich diese Zahl auf 12 bis 15 Mäuse. Schleiereulen-Weibchen bebrüten 6 bis 8 Eier.

Die Schleiereule ist nachtaktiv

Schleiereulen leben in der Nähe des Menschen. Sie bewohnen Dachböden, Scheunen, Türme oder alte Gemäuer. Tagsüber verstecken sie sich an ihrem Schlafplatz. Erst in der Nacht verlassen sie diesen, um zu jagen.

Jagd auf nachtaktive Kleinsäugetiere

Die Eule fliegt knapp über dem Boden und jagt vor allem nach Mäusen. Durch ihr seidenweiches Gefieder fliegt sie lautlos. Dadurch wird sie auch von den Beutetieren nicht gehört.

Ein feines Gehör, lichtempfindliche Augen

Die Eule kann sehr leise Geräusche hören. Sie kann nämlich die Federn rund um die beiden Ohröffnungen aufrichten. Dieser Federtrichter wirkt wie ein Hörrohr. Mit ihren großen, lichtempfindlichen Augen erkennt die Eule in der Dunkelheit ihre Beute, wenn diese sich fortbewegt. Ihre Augen sind starr nach vorne gerichtet. Sie kann jedoch den Kopf so weit drehen, dass sie über den Rücken nach hinten schauen kann.

2 Der Uhu, unsere größte Eule, steht unter strengem Naturschutz.

Die Beute wird unzerteilt verschlungen

Wenn Eulen auf einem Ast sitzen, zeigen 2 Zehen nach vorne und 2 Zehen nach hinten. Die vierte Zehe ist eine Wendezehe. Sie kann je nach Bedarf nach vorne oder nach hinten gewendet werden. Fängt die Eule eine Beute, kann sie daher besser zupacken. Sie schlägt die spitzen Krallen ihrer Fänge in das Beutetier und fliegt mit diesem im Hakenschnabel zum Kröpfplatz. Hier wird es unzerteilt mit dem Kopf voran verschlungen. Die unverdaulichen Reste werden, wie bei den Greifvögeln, als Gewölle herausgewürgt. Dieses enthält Haare, Federn und Knochen.

Alle Eulen stehen unter Naturschutz

Viele Menschen sehen in Eulen unheimliche, bedrohliche Tiere und verfolgen sie. Aber auch durch die Zerstörung ihres Lebensraums ist die Eule gefährdet. Daher stehen alle unsere heimischen Eulen unter Naturschutz.

3 Waldohreule im Flug

4 Gewölle einer Eule

5 Zerlegtes Gewölle

1 Du kennst nun schon einige Mäusejäger: Katze, Fuchs und Eule. Vergleiche die Vorgangsweise, mit der diese Tiere auf Beutefang gehen.

2 Lies im Internet nach, wieso viele Menschen Eulen für unheimliche, bedrohliche Tiere halten.

Jetzt weiß ich´s!

Eulen sind **nachtaktive Jäger**. Sie fliegen lautlos, haben ein **feines Gehör** und besonders **lichtempfindliche Augen**. Beim Beutefang wird die äußere Zehe nach hinten gewendet (**Wendezehe**). Kleinsäugetiere werden unzerteilt verschlungen. Unverdauliche Nahrungsreste werden herausgewürgt (**Gewölle**).

Die Amsel

1 Amselpaar (links Weibchen, rechts Männchen)

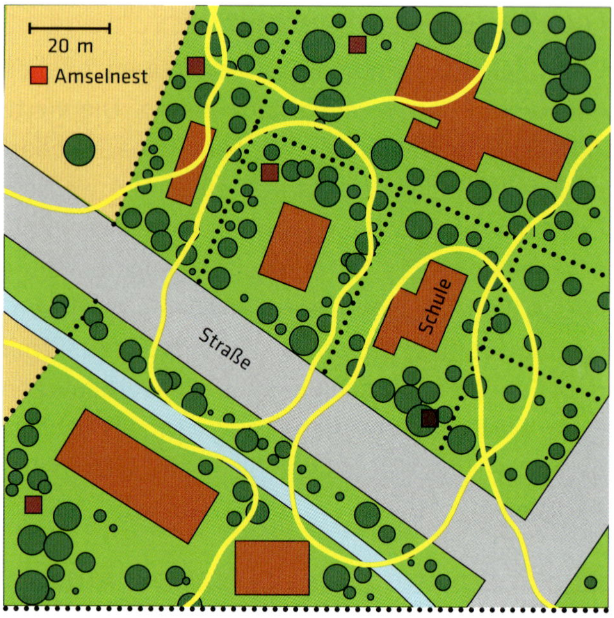

2 Amselreviere in einem Wohngebiet (rot umrandet)

Singvögel haben einen Singmuskel-Apparat

Selbst wenn im zeitigen Frühjahr noch Schnee liegt, hörst du bereits die ersten Singvögel. „Zizibäh, zizibäh", rufen die Kohlmeisen. Vögel haben zwei Kehlköpfe. Bei den Singvögeln ist der untere Kehlkopf zu einem Singmuskel-Apparat ausgebildet. Indem sie die Muskelspannung verändern, können die Singvögel singen und unterschiedliche Rufe erzeugen.

Die Amsel grenzt ihr Revier ab

Frühmorgens und abends kannst du Amselmännchen singen hören. Von einem erhöhten Platz, der Singwarte, kennzeichnet die Amsel durch ihr Rufen ihr Revier. Sie grenzt es damit gegen andere Amseln ab. Im Gebiet – es kann 1200 Quadratmeter groß sein – müssen das Amselpärchen und dessen Junge ausreichend Nahrung finden. Es wird gegen andere Amselmännchen verteidigt.

Paarung und Nestbau

Mit seinem Gesang grenzt das Amselmännchen aber nicht nur sein Revier ab. Es versucht damit auch Weibchen anzulocken. Bald nach der Paarung wird ein Nest gebaut. Das Nest wird meist knapp über dem Erdboden in Astgabeln von Sträuchern, in Hecken oder in Bäumen angelegt. Es wird aus Halmen und Lehmklümpchen gebaut. Dieses Verhalten ist den Vögeln angeboren. In das fertige Nest legt das Weibchen vier bis fünf grünliche Eier. Diese nennt man Gelege.

Jungamseln sind Nesthocker

Etwa 14 Tage lang bebrütet die Amsel ihre Eier. Daraus schlüpfen nackte, blinde und noch völlig hilflose Jungvögel. Es sind Nesthocker. Die Altvögel bringen Futter ans Nest. Setzt sich eine Amsel auf den Nestrand, sperren die Jungvögel ihre grell gefärbten Rachen. Daraufhin werden sie von ihren Eltern gefüttert.

1 Schau dir die Abbildung 2 an. Aus dem Plan lässt sich einiges über das Revierverhalten der Amseln herauslesen: Überlege, was.

3 Amsel bei der Fütterung der Jungen.
Das Sperren der Schnäbel ist angeboren.

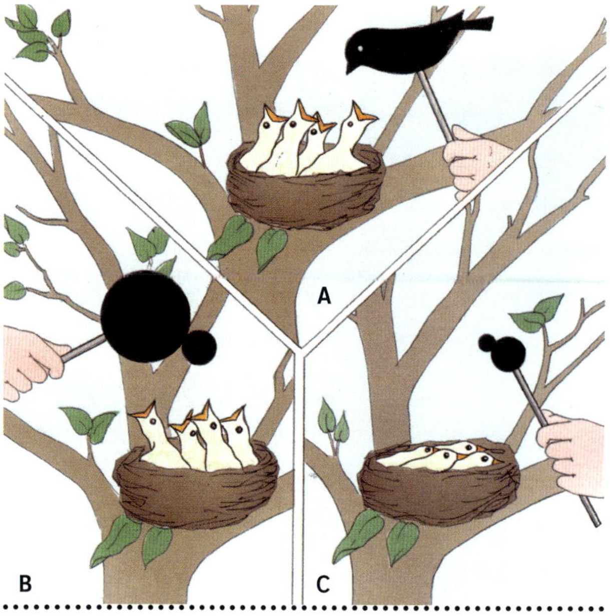

4 Attrappenversuche.
Erkennen die Jungamseln ihre Eltern?

Angeborenes Verhalten – erlerntes Verhalten

Woher aber wissen die blinden Jungen, dass ihre Eltern am Nest sind und sie füttern wollen? Aus Versuchen weiß man, dass die Erschütterung des Nestes genügt, damit die Jungen ihre Schnäbel sperren. Dieses Verhalten ist angeboren.
Nach 8 Tagen können die Nesthocker sehen. Ab diesem Zeitpunkt sperren die Jungvögel ihre Rachen nicht mehr auf, wenn das Nest erschüttert wird. Es genügt, wenn sie ein Elterntier am Nestrand sehen. Die Jungvögel reagieren jedoch auch auf eine Amsel-Attrappe, eine Amsel aus Karton, wie ein Versuch zeigte. Eine Attrappe, die gleich groß ist und ähnlich wie eine Amsel aussieht, löst auch das Sperren aus. Jungamseln können in diesem Alter ihre Eltern nicht von Attrappen unterscheiden.

2 Erkläre das unterschiedliche Verhalten der Amseljungen in Abbildung 4.

3 Suche im Internet, was Amseln fressen. Zähle auf.

Jetzt weiß ich´s !

Singvögel haben einen **Singmuskel-Apparat**. Der Gesang eines Singvogelmännchens erfüllt zwei Aufgaben: Er soll das Revier abgrenzen und Weibchen anlocken. Ein häufiger Singvogel ist die **Amsel**. Nestbau und Brutpflege sind gemeinsame Aufgaben eines Amselpärchens. Die Jungen sind **Nesthocker**. Das **Sperren der Jungvögel** ist ein **angeborenes Verhalten**. Es wird zuerst durch eine Erschütterung des Nestes, später durch den Anblick der Vogeleltern ausgelöst.

Kücken entwickeln sich aus Eiern

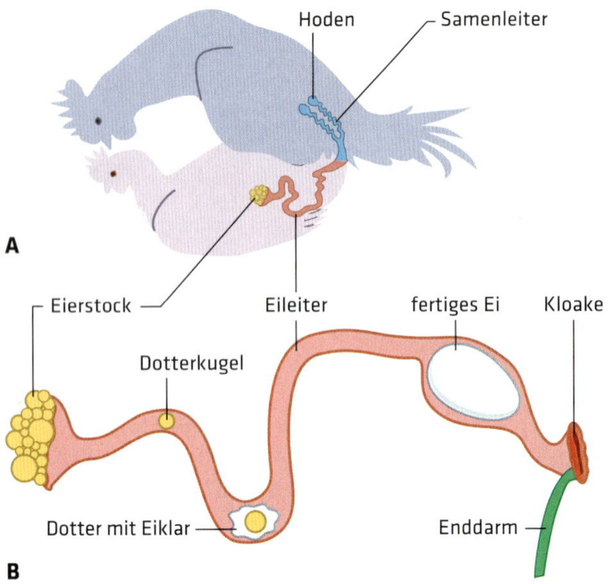

1 A Paarung des Huhns und B Entstehung der Hühnereier

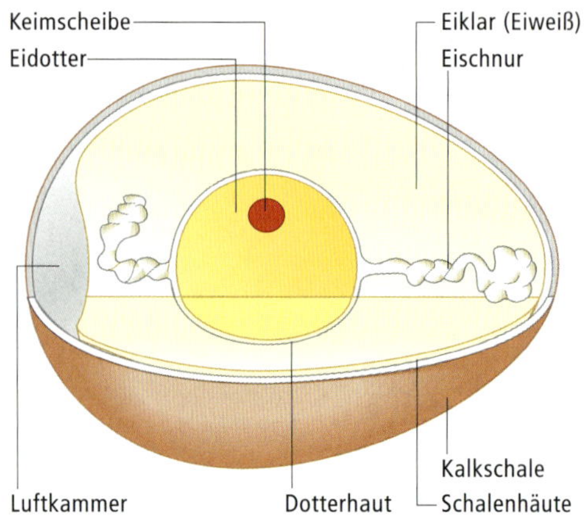

2 Längsschnitt durch ein Hühnerei

Wie entsteht ein Ei?

Du weißt sicher, dass Kücken sich in Eiern entwickeln, die von der Henne gelegt wurden. Ein Hühnerei beginnt sich im Eierstock zu entwickeln. Der Eierstock ist mit winzigen Dotterkugeln gefüllt. Die Dotterkugeln sind die mit Nährstoffen angereicherten Eizellen. Sie reifen nacheinander heran und wandern einzeln durch den Eileiter. Dabei werden die noch fehlenden Teile eines Eis hinzugefügt: Eiklar mit Eiweiß, Schalenhaut und Kalkschale.

Die Befruchtung

Während der Paarung überträgt der Hahn viele Samenzellen in den Eileiter der Henne. Nur eine einzige Samenzelle dringt in die Eizelle ein. Das Kücken entwickelt sich aus der befruchteten Eizelle.

Das befruchtete Ei wird bebrütet

Das befruchtete Ei wird von der Henne gelegt. Ein Gelege besteht aus 12 bis 15 Eiern. Diese werden von der Henne Tag und Nacht bebrütet. Die Henne hält die Eier mit ihrem Körper warm und wendet sie von Zeit zu Zeit. Dadurch wird die Wärme in den Eiern gleichmäßig verteilt. Zwei Hagelschnüre halten die Dotterkugel so in der Schwebe, dass die Keimscheibe, aus der sich der Embryo entwickelt, immer oben liegt. Sie befindet sich also immer direkt unter dem warmen Körper der Henne. Im Ei wächst der Embryo heran. Dieser ernährt sich vom Eiklar und vom Dotter.

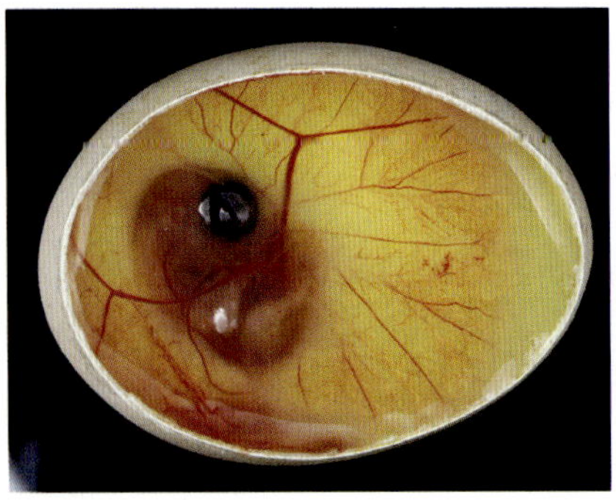

Hühnerembryo am 5. Bruttag

Embryo am 15. Bruttag

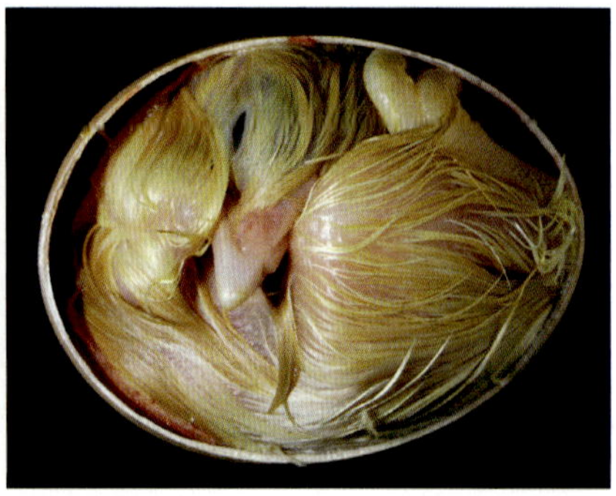

Kücken am 19. Bruttag

3 Die Entwicklung eines Hühnerembryos

Das Kücken schlüpft

Nach 21 Tagen schlüpft das Kücken. Es pickt mit dem Eizahn, einem Höcker auf seinem Schnabel, gegen die Eischale. Die Schale bricht und die Öffnung wird immer größer. Schließlich stemmt sich das Kücken mit aller Kraft gegen die Schale, sprengt diese und schlüpft. Sobald die Flaumfedern getrocknet sind, wird das Kücken lebhaft. Es kann sofort sehen, laufen, picken und scharren. Kücken sind Nestflüchter.

1 Beschreibe die Entwicklungsschritte des Hühnerembryos in der Abbildung 3 auf Seite 86. Beachte: Größe, Gestalt, Lage im Ei, einzelne Körperteile, Federkleid.

2 Untersuche ein Hühnerei. Löse von einem hartgekochten Ei die Kalkschale mit einer spitzen Pinzette vorsichtig ab. Ziehe dann die Schalenhaut vom Ei ab. Aus wie vielen Schichten besteht sie? Schneide das Ei der Länge nach durch. Vergleiche es mit der Abbildung 2 auf Seite 86. Beschreibe, was du siehst.

3 Beschreibe die Abbildung 4. Ist ein Kücken ein Nesthocker oder ein Nestflüchter? Erkläre genau.

Jetzt weiß ich´s!

Der Eierstock der Henne ist mit **Dotterkugeln** (Eizellen) gefüllt. Im Eileiter wird die Eizelle befruchtet. Danach wird das Ei auf seiner „Wanderung" durch den Eileiter „fertig gestellt": Es erhält **Eiklar**, **Schalenhäute** und eine **Kalkschale**. Damit sich ein Kücken entwickelt, muss das Hühnerei 21 Tage bebrütet werden.

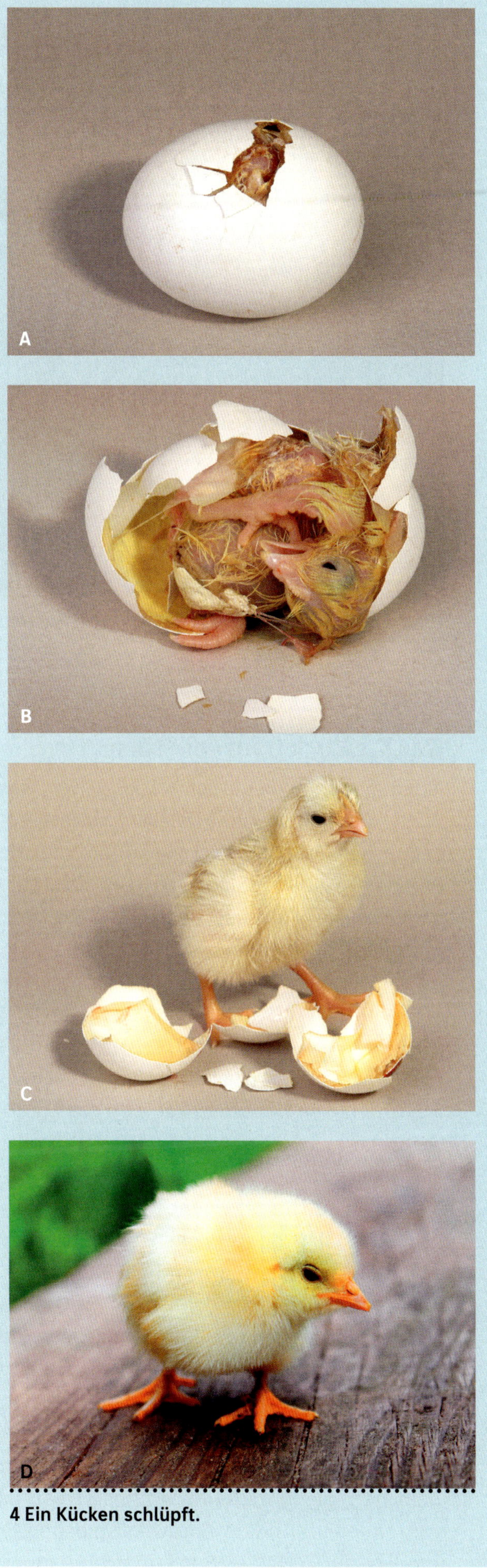

4 Ein Kücken schlüpft.

Das untergeschobene Ei

1 Der Kuckuck. Das Weibchen legt sein Ei in ein fremdes Nest. Das fremde Ei frisst es.

2 Der Jungkuckuck schlüpft als Erstes. Er wirft die anderen Eier aus dem Nest.

Der Kuckuck baut kein Nest

Jeden Frühling fliegt der Kuckuck von seinem Winterquartier in Afrika in sein Brutrevier. Hier beobachtet das Kuckucksweibchen die Nester insektenfressender Singvogelarten. Der Kuckuck baut sich kein eigenes Nest und betreibt keine Brutpflege.

Der Kuckuck legt seine Eier in ein fremdes Nest

Sobald ein Nest fertig gebaut ist und das Singvogelweibchen seine Eier gelegt hat, wird das Kuckucksweibchen aktiv. Ist das Nest unbewacht, nützt es die Gelegenheit. Es entfernt eines der Eier und ersetzt es durch sein eigenes Ei, das Kuckucksei. Kehrt das Singvogelweibchen zum Nest zurück, liegen genauso viele Eier im Nest wie vorher. Die Pflegeeltern bemerken den Betrug nicht. Sie brüten das Kuckucksei gemeinsam mit den eigenen Eiern aus. Auf diese Weise legt ein Kuckucksweibchen in jedem Jahr 20 und mehr Eier.
Jedes Kuckucksweibchen bevorzugt jedoch eine bestimmte Singvogelart. So gibt es Kuckucksweibchen, die ihre Eier nur in Nester von Bachstelzen legen. Andere Kuckucksweibchen legen ihre Eier nur in Nester von Sumpfrohrsängern.

Der Jungkuckuck verdrängt die Stiefgeschwister

Der junge Kuckuck schlüpft bereits vor den Stiefgeschwistern. Diesen Vorsprung nutzt er aus, um in den ersten fünf Tagen seines Lebens die anderen Eier oder die bereits geschlüpften Stiefgeschwister aus dem Nest zu werfen. Dieses Verhalten wird durch seine empfindliche Rückenhaut ausgelöst. Man bezeichnet das Verhalten des Jungkuckucks als Instinktverhalten. Es ist angeboren und muss daher nicht erlernt werden.

Die Pflegeeltern füttern den Jungkuckuck

Vom ersten Tag an sperrt der Jungkuckuck seinen Schnabel weit auf, wenn die Pflegeeltern sich dem Nest nähern. Dabei leuchtet ihnen der auffällig orangerot gefärbte Sperrrachen des Kuckucks entgegen. Dadurch füttern die Pflegeeltern den Jungkuckuck unermüdlich, auch dann noch, wenn er schon aus dem Nest ist.

3 Ein Jungkuckuck wird gefüttert.

Der Kuckuck ist ein Brutschmarotzer

Es ist erstaunlich, wie schnell der Kuckuck größer wird. Wenn er nach 22 bis 23 Tagen das Nest verlässt, hat er bereits ein Gewicht von 70 bis 80 Gramm. Er wird dann noch weitere 3 Wochen von seinen Pflegeeltern gefüttert.

Weil der Kuckuck sich auf Kosten anderer großziehen lässt, nennt man ihn einen Brutschmarotzer. Der selbstständig gewordene Kuckuck fliegt im Spätsommer nach Afrika in sein Winterquartier.

1 Die Bilder auf dieser Doppelseite zeigen verschiedene Verhaltensweisen des Kuckucks. Beschreibe, was du auf den einzelnen Bildern erkennen kannst.

2 Erstelle eine Tabelle. Trage darin die angeborenen Verhaltensweisen des Kuckucks und die seiner Pflegeeltern ein.

Jetzt weiß ich´s !

Der Kuckuck ist ein **Brutschmarotzer**, da er sich auf Kosten seiner Stiefgeschwister aufziehen lässt. Der Kuckuck baut **kein Nest** und betreibt **keine Brutpflege**. Das Weibchen legt das eigene Ei in ein fremdes Nest. Bei der Aufzucht des Jungkuckucks gibt es einige **angeborene Verhaltensweisen** (**Instinktverhalten**) zu beobachten: Der junge Kuckuck wirft seine Stiefgeschwister aus dem Nest. Die Pflegeeltern füttern den Jungkuckuck, weil er seinen Rachen aufsperrt. Im Winter fliegt der Kuckuck in sein Winterquartier nach Afrika.

Wo verbringen die Vögel den Winter?

1 Schwalben sammeln sich.

Zugvögel

Rechtzeitig bevor der Winter beginnt, sammeln sich Hunderte von Schwalben auf Leitungsdrähten. Sie wollen ihr Brutgebiet verlassen, weil sie bei uns im Winter zu wenig Nahrung finden. Außerdem ist ihnen zu kalt. Sie sammeln sich und fliegen gemeinsam in ihre Winterquartiere in südlichen Ländern. Sie sind Zugvögel. Sie kehren erst im Frühjahr wieder. Diese Wanderung wiederholt sich jedes Jahr. Man spricht vom Vogelzug.

Gefahren für Zugvögel (Auszüge aus Zeitungsmeldungen)

... Der gestrige Kälteeinbruch mit Nebel und Schneeschauern wurde vielen Rauchschwalben zum Verhängnis. Nördlich der Alpen in der Nähe von U. fand man sie zu Hunderten erschöpft am Erdboden ...

... Jetzt sind sie wieder unterwegs, die Vogelfänger. Nur um Nachschub für die feinen Schlemmerlokale zu liefern, müssen Tausende von Singvögel ihr Leben lassen ...

... Der starke Frost hat zu einer „Zugkatastrophe“ geführt. Viele Wasservögel, die auf den Seen Zwischenstation gemacht haben, finden wegen der Eisdecke kein Futter mehr ...

... Die Trockenlegung der Wiesen zeigt erste Folgen. Im Gegensatz zu früher wurde in diesem Jahr kein einziger Storch mehr gesehen ...

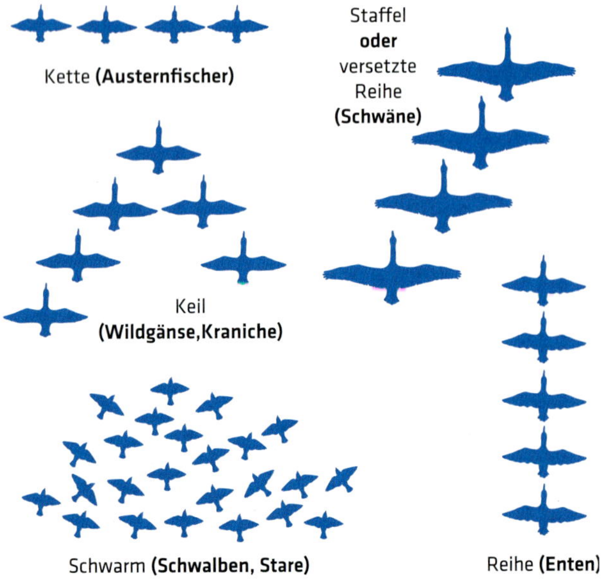

2 Flugordnungen von Zugvögeln

Die Flugordnungen von Zugvögeln

Schwalben verlassen ihre Heimat im Schwarm, Kraniche ordnen sich zu einem Keil und Enten fliegen in einer Reihe hintereinander.
Der Kuckuck dagegen verlässt sein Brutgebiet ganz allein.
Manche Zugvögel, zum Beispiel Singdrossel und Kuckuck, ziehen nur nachts. Man bezeichnet sie als Nachtzieher. Andere Vogelarten, wie Storch und Kiebitz, ziehen am Tag. Sie heißen Tagzieher.

Standvögel und Strichvögel

In der kalten Jahreszeit bleiben nur solche Vögel bei uns, die dann noch Futter (Samen und Beeren) finden, wenn es keine Insekten mehr gibt. Am Futterhäuschen kannst du einen Teil dieser Vogelarten kennen lernen. Sie bleiben das ganze Jahr über am selben Standort. Man bezeichnet sie deshalb als Standvögel. Zu ihnen gehören Sperling (Spatz), Gimpel, Kleiber, Amsel und Specht.

Manche Vögel weichen ungünstigen Lebensbedingungen nur kurzzeitig aus. Dazu gehören Kohlmeise, Blaumeise, Bergfink und Saatkrähe. Auf der Suche nach Futter streichen sie umher. Daher bezeichnet man sie als Strichvögel.

Die Zugwege

Die einzelnen Vogelarten fliegen auf bestimmten Zugwegen in den Süden. Flüsse, Täler, Küsten, Gebirge oder Seen können Orientierungshilfen sein. Zugvögel meiden Hindernisse wie die Alpen oder große Wasserflächen wie zum Beispiel das Mittelmeer. Manche legen Tausende von Kilometern auf ihrem Flug zurück. Dazwischen machen die Vögel immer wieder Pausen.

3 Ziehende Kraniche

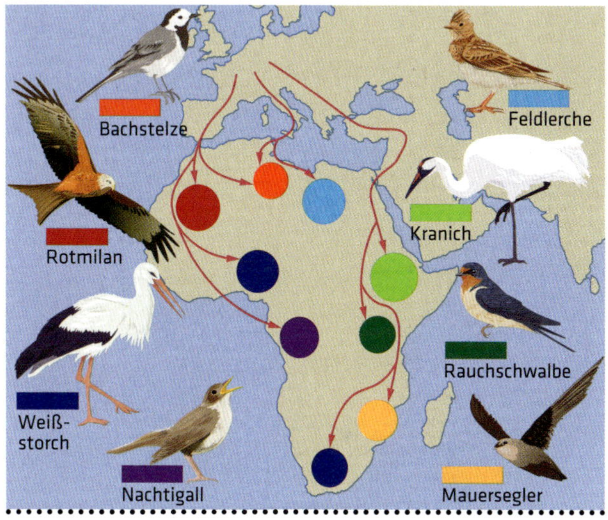

4 Zugwege und Zugziele bekannter Zugvögel

1. Schreibe einheimische Vogelarten auf, die du kennst. Entscheide, ob es sich um Stand-, Strich-, oder Zugvögel handelt. (Der Text auf dieser Doppelseite hilft dir dabei.)

2. Nenne Gefahren, denen Zugvögel ausgesetzt sind. Erkläre sie.

Jetzt weiß ich´s !

Mehr als die Hälfte unserer einheimischen Vogelarten verlässt zu Beginn der kalten Jahreszeit ihr Brutgebiet. Sie finden bei uns im Winter keine Nahrung und würden unter der Kälte leiden. Sie sind **Zugvögel**. Die einzelnen Vogelarten bilden bestimmte Flugordnungen und fliegen auf bestimmten Zugwegen. **Standvögel** verlassen ihre Brutgebiete nicht. Sie ernähren sich im Winter von Samen und Beeren. **Strichvögel** weichen ungünstigen Lebensbedingungen für kurze Zeit aus.

Ein Zugvogelspiel

Seit über hundert Jahren beobachten Vogelforscherinnen und Vogelforscher (Ornithologninnen und Ornithologen) das Verhalten der Zugvögel. Sie zählen an international vereinbarten Terminen die durchziehenden Vögel. Um genauere Daten zu erhalten, werden an zentralen Durchzugsstationen Jungvögel gefangen und beringt. Dabei wird am Fuß des Vogels ein Ring mit einer registrierten Nummer sowie dem Namen und der Adresse der Vogelwarte (Einrichtung zum Schutz und zur Überwachung des Vogelbestandes) angebracht. Vogelbeobachterinnen und -beobachter können mit guten Ferngläsern die Nummer am Ring lesen. Wird ein beringter Vogel tot aufgefunden, wird ihm der Ring abgenommen und mit Fundort und Datum an die auf dem Ring angegebene Vogelwarte gesendet.

Die so gewonnenen Daten zeigen, dass die ersten Zugvögel, die bei uns im Frühling gesehen werden, nicht bleiben, sondern nach Nordeuropa und Nordrussland weiterziehen. Im Herbst ziehen diese Vögel auf ihrem Weg nach Süden bei uns wieder durch. Erst Vögel, die später im Jahr zu uns kommen, bleiben auch hier, um hier zu leben und zu brüten. Dies ist im abgebildeten Vogelzugkalender dargestellt. Die Landkarte darunter zeigt die Zugwege einiger Vogelarten.

1 Vogelzugkalender

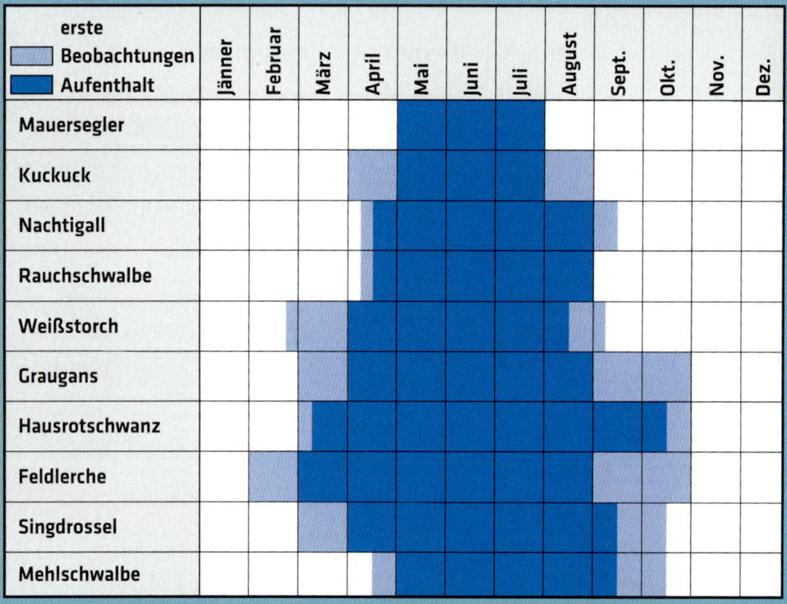

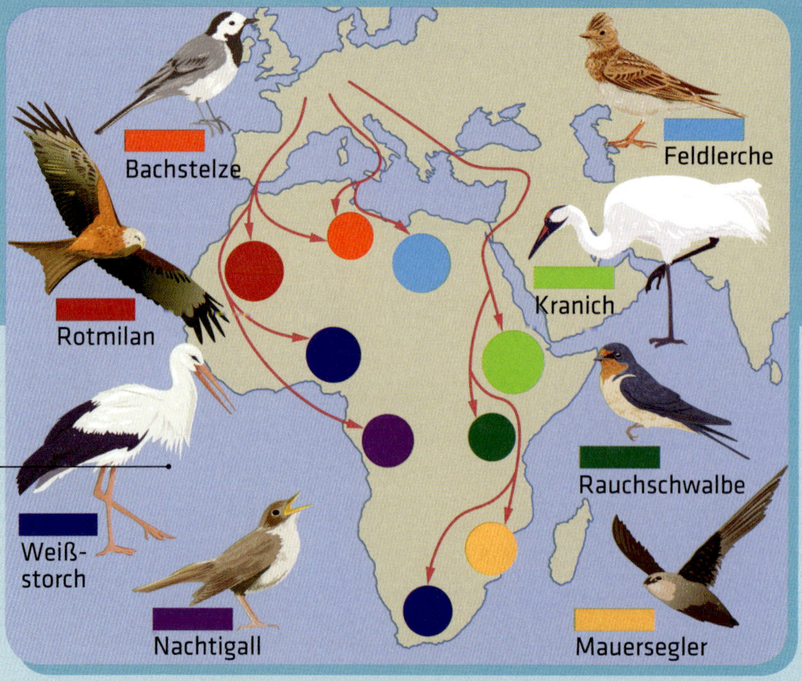

2 Zugwege und Zugziele einiger Zugvögel

1

Einzelarbeit

Bildet Gruppen in der Klasse. Jedes Gruppenmitglied sucht für eine der auf S. 92 abgebildeten Vogelarten Antworten auf folgende Fragen. Nimm dazu Abb. 2 auf S. 92 zu Hilfe.

- Wann können bei uns die ersten Individuen dieser Art beobachtet werden?
- Wann ziehen im Herbst die letzten Individuen dieser Art durch unser Land?
- Wann besetzen sie bei uns ihre Nester und wann verlassen sie diese?
- Welche Zugwege nimmt deine Vogelart?
- Wo überwintert sie?

Suche nun in Vogelbüchern aus der Schulbibliothek oder im Internet zusätzliche Informationen über die Lebensweise deiner Vogelart.

- Wo baut sie ihre Nester?
- Wie viele Jungvögel zieht sie in einem Sommer auf?
- Was frisst sie?
- Wo findet sie ihre Nahrung?
- Welche Lebensbedingungen (Hecken, Bäume, Wiesen, Sümpfe, Moore, Hügel, Berge etc.) braucht sie?
- Wie können wir Menschen diese Vogelart schützen?
- Gibt es in eurer Gegend eine Gruppe (z. B. Storchenverein, Naturschutzjugend, WWF, Vogelwarte), die diese Vogelart unterstützt?
- Welche Gefahren bedrohen sie auf ihren Zugwegen?

2

Gruppenarbeit

Tragt eure Ergebnisse zusammen und gestaltet damit ein Brettspiel.

3

Präsentation

Erklärt den Mitgliedern der anderen Gruppen euer Spiel. Spielt mit ihnen einen Durchgang.

Was fressen Vögel im Winter?

1 Blaumeise am Futterplatz

2 Futtergerät

3 Futterhaus

Von Natur aus überstehen alle gesunden Singvögel, die bei uns überwintern, den Winter ohne unsere Hilfe. Bis in den Winter hinein finden sie Wildkräutersamen, Wildfrüchte und Insekten. Liegt im Winter viel Schnee, haben sie es jedoch schwer, Nahrung zu finden. Daher solltest du erst dann füttern, wenn durch Frost, Eis und Schnee viele Vögel zu verhungern drohen.

Sammle Früchte und Samen!

Bereits im Spätsommer kannst du anfangen, Vogelfutter zu sammeln und zu trocknen. Manche Vogelarten fressen gerne die Früchte von Eberesche, Weißdorn, Holunder, Heckenrose und vielen Ziersträuchern sowie die ölhaltigen Samen von Sonnenblumen. Gern gefressen werden auch die Kerne von Äpfeln, Birnen, Kürbissen und Gurken. Sammle auch Wildkräutersamen, zum Beispiel von Disteln und Löwenzahn.

An der Schnabelform kannst du sehr gut erkennen, wovon sich ein Vogel ernährt. Der Schnabel dient hauptsächlich als Werkzeug, mit dem die Vögel Nahrung aufnehmen, abschneiden, abreißen oder aufknacken können.

Körnerfresser

Körnerfresser erkennst du am dicken, kegelförmigen Schnabel. Zu ihnen gehören Finkenvögel wie Buchfink, Bergfink und Grünfink. Meisen und Kleiber fressen erst dann Samen, wenn sie keine Insekten mehr finden. Mit ihrem spitzen Schnabel meißeln sie die Samenschalen auf.

Weichfresser

Amseln, Rotkehlchen und Zaunkönige mit ihren langen, spitzen Schnäbeln sind Weichfresser. Im Sommer fressen sie Insekten. Wenn im Winter Schnee liegt, finden sie keine Insekten. Du kannst sie mit Haferflocken, einem Fettfuttergemisch, Mohnsamen und getrockneten Beeren füttern.

1 Die Abb. 4 auf Seite 95 zeigt dir unterschiedliche Vogelarten. Teile diese Vögel in Körner- und Weichfresser ein.

2 Stelle ein Futtergemisch für Futtergeräte zusammen. Verwende dabei folgende Mischung: 350 g Talg und 100 g Sonnenblumenkerne, 300 g kleine Samen, 50 g Beeren und 100 g Semmelbrösel. Erwärme den Talg und gib den Rest dazu. Verteile die Mischung auf die vorbereiteten Futtergeräte.

4 Vögel am Futterplatz

Jetzt weiß ich´s !

Singvögel, die bei uns überwintern, sollen nur gefüttert werden, wenn sie aufgrund von Eis und Schnee keine Nahrung mehr finden. Man unterscheidet **Körnerfresser** und **Weichfresser**.

Kennst du die Vögel?

Vögel erkennen. Ordne die Beschreibungen der Vogelarten den Vögeln in der Abbildung zu. Trage neben jedem Buchstaben in der Abbildung die richtige Nummer der Beschreibung ein. So erhältst du ein Lösungswort.

1 spatzengroß; Kehle und Brust rötlich, Bauch weiß, Rücken braun; sucht auf dem Boden nach Nahrung: Rotkehlchen

2 amselgroß; schwarz mit metallischem Schimmer, kurzer Schwanz; stochert im Boden; oft in großen Scharen: Star

3 spatzengroß; Kopf und Kehle schwarz, weiße Wangen, Brust gelb mit schwarzem Längsstreifen; frisst vor allem Insekten an Bäumen: Kohlmeise

4 größer als eine Amsel; grau mit weißen Flecken rechts und links am Hals; lautes Flügelschlagen beim Abflug: Ringeltaube

5 doppelt so groß wie eine Taube; braun mit Streifen und Flecken; kräftiger, nach unten gebogener Schnabel; sitzt oft auf Bäumen oder Pfosten an der Straße: Mäusebussard

6 größer als ein Spatz; Männchen schwarz mit gelbem Schnabel / Weibchen braun; stochert unter anderem im Rasen nach Regenwürmern: Amsel

Lösungswort:

1	2	3	4	5	6	7	8	9	10	11	12	13	14	15	16

7 kleiner als ein Spatz; Scheitel, Flügel und Schwanz blau, Brust und Bauch gelb; sucht im Geäst Insekten und Spinnen: Blaumeise

8 spatzengroß; Männchen: Kopf und Rücken grau, Kehle schwarz, Brust und Schwanz rostrot; Weibchen braun; hüpft auf der Suche nach Insekten über den Boden: Gartenrotschwanz

9 amselgroß; schwarzweiß; Männchen mit rotem Streifen am Hinterkopf; läuft an Stämmen hoch und klopft im Holz nach Insekten: Buntspecht

10 größer als eine Taube; weiß und schwarz mit schillerndem Glanz; sehr langer Schwanz; hüpft auf dem Boden, oft an Straßen: Elster

11 größer als eine Taube; langer, heller Hals, sonst braun; spitzer Schnabel; im Sommer rötliche Halskrause und schwarzer Schopf; taucht minutenlang: Haubentaucher

12 größer als eine Taube; schwarz mit weißem Schnabel und weißer Stirn; Beine grün; auf Teichen mit Schilf: Blässhuhn

13 kleiner als ein Spatz; rundlich; braunes Gefieder; kurzer, hochgestellter Schwanz; oft auf dem Boden und in Hecken: Zaunkönig

14 größer als ein Spatz; schwarz mit heller Kehle; schmale, lange, sichelförmige Flügel; fast immer in der Luft; fliegt oft in Gruppen: Mauersegler

15 spatzengroß; Oberseite blauschwarz, Unterseite weiß; jagt Insekten im schnellen Flug; oft in der Nähe von Ställen: Mehlschwalbe

16 größer als ein Spatz; Kehle und Nacken schwarz, Stirn, Wangen und Bauch weiß; langer Schwanz; wippt oft mit dem Schwanz: Bachstelze

Eidechsen bevorzugen sonnige Plätze

1 Zauneidechsen (Männchen grün, Weibchen braun). Geschützt! Größe: etwa 15 cm bis über 20 cm.
Lebensraum: trockenes und sonniges Gelände, Waldränder und Waldlichtungen, Böschungen, an Hecken und Mauern.

Eidechsen sind Kriechtiere

Die Eidechse kriecht schlängelnd am Boden entlang. Sie huscht streckenweise sehr schnell dahin. Ihre Wirbelsäule biegt sich dabei abwechselnd nach rechts und nach links. Ihre kurzen, seitlich abstehenden Beine können den Körper kaum tragen. Er hängt deshalb durch und berührt mit dem Bauch den Boden. Aufgrund ihrer kriechenden Fortbewegung gehört die Eidechse zu den Kriechtieren, auch Reptilien genannt.
Die Zauneidechse kann auch geschickt auf einen sonnigen Stein oder Baumstumpf klettern, wo sie oft stundenlang bewegungslos in der Sonne liegt. Durch ihre braune und grüne Tarnfarbe ist sie vor vielen Fressfeinden wie Bussard, Krähe oder Marder geschützt.

Eidechsen sind wechselwarme Tiere

Haben sich Eidechsen in der Sonne aufgewärmt, haben sie einen warmen Körper. Dann sind sie besonders flink. Wenn es kalt ist, fühlt sich ihr Körper kalt an. Ihre Bewegungen sind dann träge und schwerfällig.

Anders als bei den gleichwarmen Säugetieren steigt und sinkt die Körpertemperatur der Eidechsen mit der Temperatur der Umgebung. Die Körpertemperatur wechselt also ständig. Eidechsen gehören deshalb zu den wechselwarmen Tieren.

2 Schlüpfende Zauneidechse. Im Mai/Juni legt das Weibchen 5-15 Eier in feuchtwarme, lockere Erde; nach etwa 8 Wochen schlüpfen 3-4 cm große Junge.

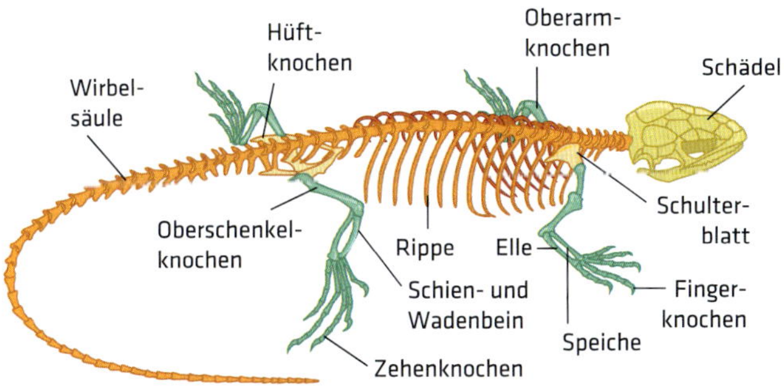

3 Skelett der Zauneidechse

4 Die Blindschleiche ist eine Eidechse.

Eidechsen sind Fleischfresser

Die Zauneidechse nimmt die Bewegung ihrer Beutetiere wie Fliegen, Heuschrecken, Würmer und Spinnen mit ihren sehr gut ausgebildeten Augen sofort wahr. Rasch streckt sie ihre Zunge hervor: Sie züngelt. Die Eidechse riecht und tastet mit ihrer Zunge. Zielsicher schnappt sie zu und verschluckt die Beute als Ganzes.

Eidechsen häuten sich

Die Körperoberfläche der Zauneidechse ist mit Hornschuppen bedeckt. Diese jedoch werden nicht größer, wenn das Tier wächst. Die Haut wird daher von Zeit zu Zeit abgestreift. Man sagt, die Eidechse häutet sich. Unter der alten Haut befindet sich bereits die neue, größere Haut.

Eidechsen gehen in Winterstarre

Als wechselwarme Tiere haben sie keinen Kälteschutz wie Fell oder Federn und können keine Eigenwärme erzeugen. Um nicht zu erfrieren, verkriechen sie sich in tiefe Erdhöhlen, wo sie bewegungslos und starr überwintern. Diesen Zustand nennt man Winterstarre oder Kältestarre. Während dieser Zeit sind alle Lebensvorgänge eingeschränkt. Eidechsen erwachen wieder, wenn es im Frühjahr wärmer wird.

Die Blindschleiche – eine Eidechse ohne Beine

Die Blindschleiche wird oft mit einer Schlange verwechselt, denn ihr langgestreckter Körper hat keine Beine. Ihr Skelett zeigt jedoch noch Reste von Schulter- und Beckenknochen. Daraus schließt man, dass ihre Vorfahren wahrscheinlich Gliedmaßen hatten. Sie gehört daher zu den Eidechsen. Außerdem hat sie, im Gegensatz zu Schlangen, bewegliche Augenlider. Es fehlt ihr auch der starre Blick, den du von Schlangen kennst. Die Blindschleiche bewegt sich langsam und kann nur unbeholfene Beutetiere jagen: Nacktschnecken, Würmer und Insektenlarven. Sie gehört zu den „lebendgebärenden" Kriechtieren. Das heißt, die 5 bis 15 Jungen schlüpfen noch im Mutterleib oder unmittelbar, nachdem das Weibchen die Eier gelegt hat.
Alle anderen Kriechtiere legen Eier, aus denen erst nach einigen Wochen die Jungtiere schlüpfen.

1 Weibliche und männliche Zauneidechsen sind unterschiedlich gefärbt. Informiere dich im Internet über den Sinn dieses Farbunterschiedes.

Jetzt weiß ich´s !

Eidechsen sind Kriechtiere (**Reptilien**). Kriechtiere sind **wechselwarme Tiere**. Eidechsen verfallen in der kalten Jahreszeit in eine Kältestarre oder Winterstarre. Der Schuppenpanzer wächst mit den Eidechsen nicht mit. Daher **häuten** sie sich von Zeit zu Zeit. **Die Blindschleiche** ist eine beinlose Eidechse.

Ringelnatter und Kreuzotter im Vergleich

1 Ringelnatter mit Natternhemd. Das Schuppenkleid wird von Zeit zu Zeit als Natternhemd abgestreift.

2 Kreuzotter

Ringelnatter, Kreuzotter – daran erkennst du sie

Die Ringelnatter wird über 1 Meter lang. Sie lebt meist in der Nähe von Gewässern, sie schwimmt und taucht sehr gut. Meistens ist sie grau-grün mit kleinen schwarzen Flecken und hellem Bauch. Du erkennst sie an den gelblich-weißen, halbmondförmigen Flecken am Hinterkopf.

Die Kreuzotter bevorzugt warme, sonnige Lebensräume. Sie wird etwa 75 Zentimeter lang. Du erkennst sie am dunklen Zickzack-Band auf dem Rücken. Im Gegensatz zur Ringelnatter ist sie eine Giftschlange.

Die Ringelnatter schlängelt sich an die Beute an

Die Ringelnatter schlängelt sich geräuschlos an ihr Beutetier, z. B. einen Frosch, heran. Sie hält still, stößt vor und packt zielsicher mit dem Maul zu. Mit dem Kopf voran wird das Beutetier verschlungen. Ober- und Unterkiefer sind bei Schlangen mit elastischen Bändern verbunden. So kann die Ringelnatter ihren Rachenraum weit dehnen. Auch Speiseröhre, Magen und Rippenskelett sind dehnbar. Nach dem Fressen folgen einige Ruhetage.

Die Kreuzotter lauert auf ihre Beute

Die Kreuzotter lauert auf ihre Beute. Bewegungslos liegt sie da, lässt z. B. eine Maus nahe genug an sich herankommen und stößt dann zu. Sie bohrt die beiden langen, spitzen und aufgerichteten Giftzähne tief in den Körper des Opfers. Dabei wird ein tödliches Gift in die Bisswunde eingespritzt. Die Maus flüchtet zuerst, bleibt aber bald tot liegen und wird von der Kreuzotter züngelnd aufgespürt. Auch sie verschlingt die Beute mit dem Kopf voran.

Giftschlangen beißen nur bei Bedrohung

Menschen werden von Kreuzottern kaum gebissen. Kreuzottern greifen nur an, wenn sie bedroht werden. Solltest du dennoch gebissen werden, muss die Ärztin oder der Arzt möglichst schnell ein Gegengift spritzen.

Schlangen wirken unheimlich

Viele Menschen fürchten sich vor Schlangen und betrachten sie als unheimlich. Ihr starrer Blick, der glänzend-glatte Körper, das lautlose Dahingleiten und das Züngeln wirken fremd. Man muss aber verstehen, dass Schlangen dadurch sinnvoll ihrem Lebensraum angepasst sind.

Schlangen „laufen" mit den Rippen

Das Rumpfskelett einer Schlange ist seitlich sehr biegsam. Es besteht aus vielen Wirbeln mit beweglichen Rippenpaaren. Kriecht die Schlange, bewegen kräftige Muskeln ein Rippenpaar nach dem anderen nach vorne. Die aufgerichteten Bauchschuppen verankern sich dabei im Boden. Sie erleichtern damit das Vorwärtsgleiten.

Wo findest du Ringelnatter und Kreuzotter?

Schlangen sind bei uns selten geworden. Wir müssen sie schützen.

Zu den bekannten Arten gehören Ringelnatter und Kreuzotter. Ringelnattern findest du in Feuchtgebieten (Weiher, Seeufer). Kreuzottern kannst du in Mooren und auf Bergwiesen antreffen.

3 Kopf der Kreuzotter

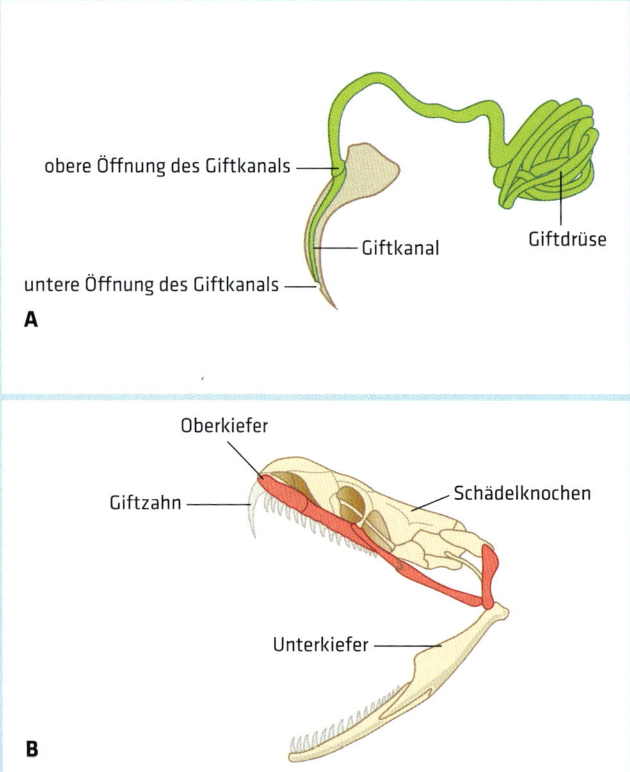

4 Kreuzotter. A Giftdrüse und Giftkanal; B Kopfskelett mit Giftzahn

1. Vergleiche das Jagdverhalten einer Ringelnatter mit dem einer Kreuzotter.
2. Suche im Internet nach allen heimischen Schlangenarten.

Jetzt weiß ich´s!

Das Rumpfskelett einer Schlange besteht aus Wirbeln und **beweglichen Rippenpaaren**. Das Vorwärtsgleiten: Ein Rippenpaar nach dem anderen wird nach vorne bewegt. Dabei verankern sich die **Bauchschuppen** im Boden und der übrige Körper wird nachgezogen. Im Gegensatz zur Ringelnatter ist die Kreuzotter eine **Giftschlange** mit **Giftzähnen**.

Eidechsen-Quiz

In jedem Textfeld stehen drei Behauptungen zur Auswahl.
Aber nur eine davon stimmt. Welche? Kreuze die richtige an.

Eidechsen

- [ ] haben kräftige Sprungbeine.
- [ ] haben keine Beine.
- [ ] haben seitlich abstehende Beine.

Eidechsen

- [ ] bevorzugen sonnige Plätze.
- [ ] bevorzugen Schatten.
- [ ] bevorzugen feuchte Ufer.

Eidechsen sind

- [ ] Lurche.
- [ ] Kriechtiere.
- [ ] Säugetiere.

Eidechsen

- [ ] sind Pflanzenfresser.
- [ ] sind Fleischfresser.
- [ ] sind Allesfresser.

Eidechsen

- [ ] halten Winterruhe.
- [ ] fallen in Winterstarre.
- [ ] halten Winterschlaf.

Die **Blindschleiche** ist

- [ ] eine Schlange.
- [ ] eine Eidechse.
- [ ] ein Wurm.

Eidechsen sind

- [ ] gleichwarme Tiere.
- [ ] Kaltblüter.
- [ ] wechselwarme Tiere.

Eidechsen

- [ ] haben als Kälteschutz ein Winterfell.
- [ ] haben als Kälteschutz ein Federkleid.
- [ ] verkriechen sich bei Kälte an frostsichere Plätzen.

Eidechsen

- [ ] springen.
- [ ] laufen leichtfüßig.
- [ ] schlängeln kriechend.

Eidechsen

- [ ] Ihr Schuppenpanzer ist elastisch.
- [ ] Ihr Schuppenpanzer wächst mit.
- [ ] Ihr Schuppenpanzer wird von Zeit zu Zeit abgestreift.

Eidechsen

- [ ] schlüpfen aus Eiern.
- [ ] werden lebend an Land geboren.
- [ ] werden lebend im Wasser geboren.

Eidechsen

- [ ] verteidigen sich mit ihren Giftzähnen.
- [ ] sind durch ihre Tarnfarbe geschützt.
- [ ] verteidigen sich mit ihrem scharfen Raubtiergebiss.

!!!

Schlangen-Kreuzworträtsel

Dieses Rätsel besteht aus 22 Fragen.
Bei den 11 blau gefärbten Kästchen sollst du die Lösungen von links nach rechts eintragen.
Bei den 11 gelb gefärbten Kästchen sollst du die Lösungen von oben nach unten eintragen.

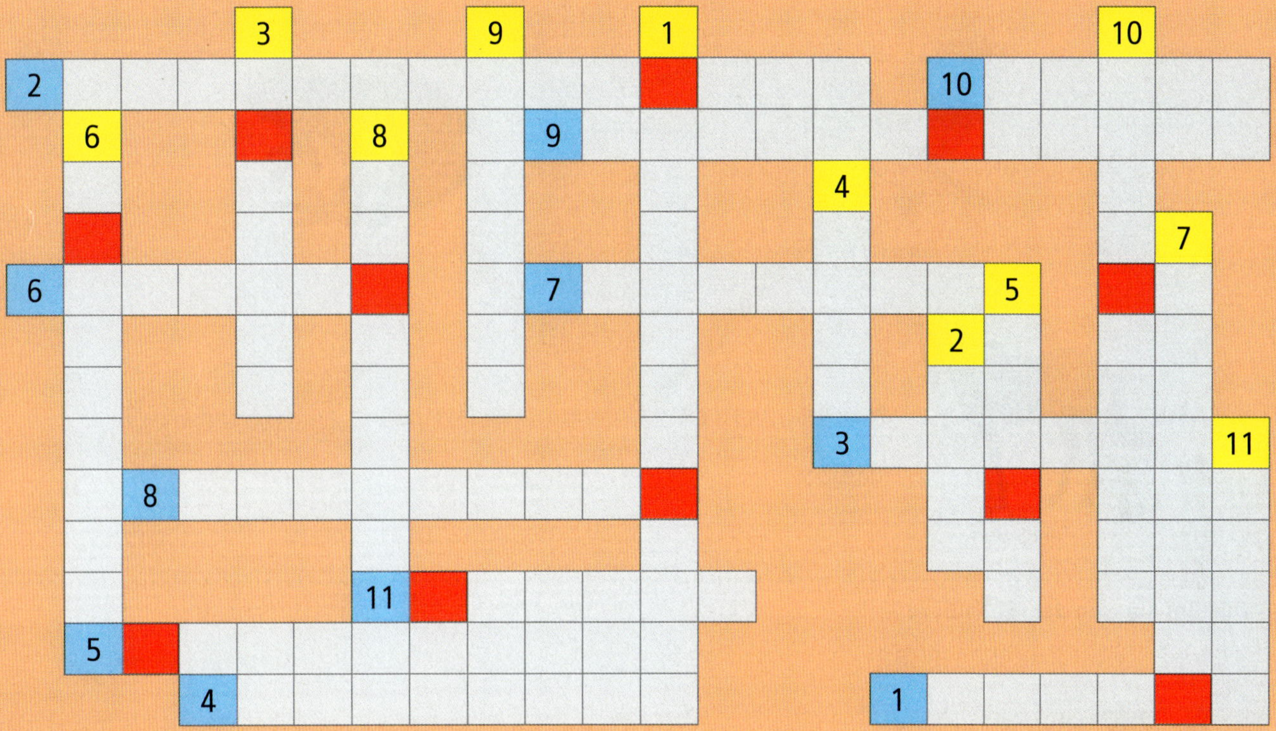

waagrecht:

1 Womit sind Ober- und Unterkiefer der Schlangen verbunden?
2 Welche Form haben die Flecke am Hinterkopf der Ringelnatter?
3 Die Ringelnatter schwimmt und ... sehr gut.
4 Da Schlangen bei uns selten geworden sind, müssen wir sie ... .
5 Heimische Giftschlange
6 Häufiges Beutetier der Ringelnatter
7 Kreuzottern greifen nur an, wenn sie ... werden.
8 Nach einem Kreuzotterbiss muss schnell ein ... gespritzt werden.
9 Welche Zeichnung hat die Kreuzotter auf dem Rücken?
10 Wie heißt das Riech- und Tastorgan der Schlangen?
11 Womit „laufen" Schlangen?

senkrecht:

1 Heimische, ungiftige Schlange (Mehrzahl)
2 Häufiges Beutetier der Kreuzotter
3 Das Rumpfskelett einer Schlange ist seitlich sehr ... .
4 Schlangen verschlingen ihre Beute mit dem ... voran.
5 Kreuzottern warten regungslos auf ihre Beute. Sie...
6 Wo wird das Gift der Giftschlangen erzeugt?
7 Die Kreuzotter tötet die Beute mithilfe ihrer ...
8 Wovon ist der Schlangenkörper bedeckt?
9 Welche gemeinsame Eigenschaft haben Rachenraum, Speiseröhre, Magen und Rippenskelett der Kreuzotter? Sie sind ...
10 Schuppenkleid der Ringelnatter, das von Zeit zu Zeit abgestreift wird.
11 Der Blick der Schlangen ist ...

Trage alle Buchstaben der roten Felder hier ein:

Ordne die Buchstaben der rot markierten Kästchen zu einem Lösungswort:

Lösungswort: ___ ___ ___ ___ ___ ___ ___ ___ ___ ___ ___

Die Wirbeltiere bilden einen Stamm

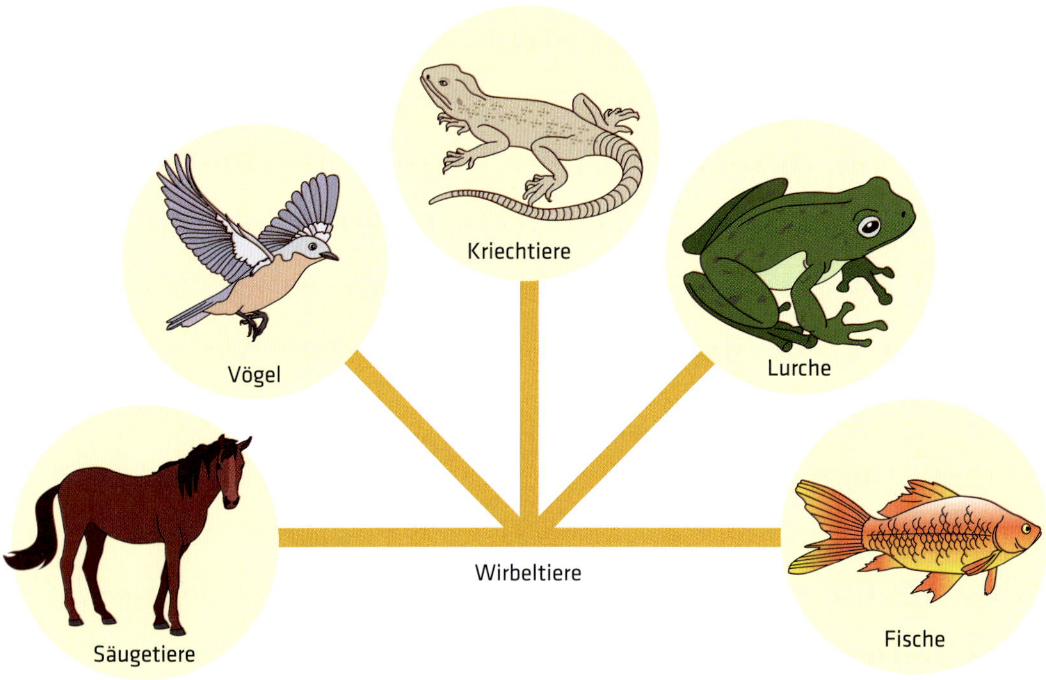

1 Die fünf Klassen der Wirbeltiere

Die Wirbelsäule als gemeinsames Merkmal

Der Körper der Wirbeltiere enthält als Hauptstütze eine Wirbelsäule, die aus vielen Wirbelkörpern besteht. Dieses Merkmal findest du bei keiner anderen Tiergruppe. Wir können daraus schließen, dass solche Tiere miteinander verwandt sind. Wir nennen sie Wirbeltiere. Diese bilden einen Stamm. Zum Stamm der Wirbeltiere gehören die Klassen der Fische, Lurche, Kriechtiere, Vögel und Säugetiere. Über Lurche und Fische lernst du in der 2. Klasse.

Es gibt auch noch andere Stämme

Neben den Wirbeltieren gibt es auch noch andere Tierstämme. Es gibt zum Beispiel die Weichtiere, wie Muscheln und Schnecken, oder Gliederfüßer wie Insekten. Auch sie haben gemeinsame Merkmale. Du lernst sie in der 2. Klasse kennen.

Alle Tierstämme zusammen bilden das Tierreich. Nun kannst du die Verwandtschaft von Lebewesen mit den Begriffen Reich, Stamm, Klasse, Ordnung, Familie, Gattung, Art und Rasse beschreiben.

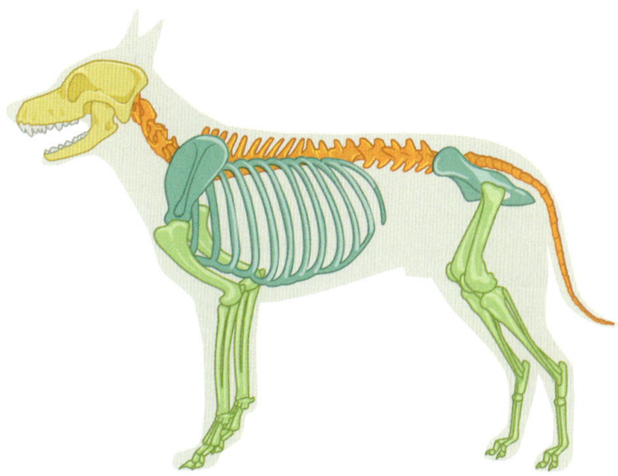

Klasse:	**SÄUGETIERE**
Körperbedeckung:	**Haare**
Gliedmaßen:	**2 Arme und 2 Beine oder 4 Beine; meist je 5 Zehen oder Finger**
Atmung:	**Lunge**
Körpertemperatur:	**gleichwarm**
Vermehrung:	**meist lebendgebärend (Junge werden gesäugt.)**

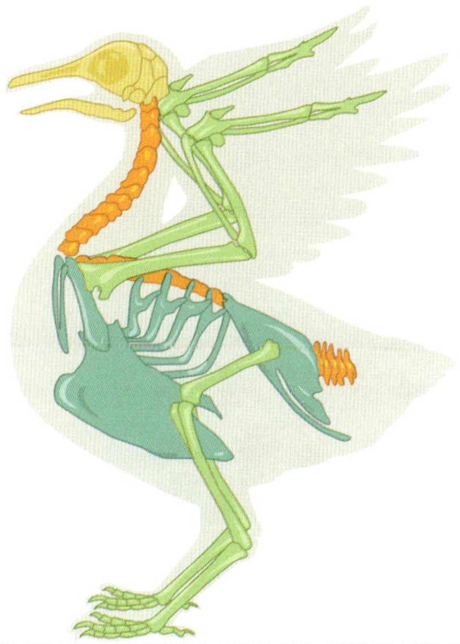

Klasse:	VÖGEL
Körperbedeckung:	Federn
Gliedmaßen:	2 Flügel, 2 Beine
Atmung:	Lunge und Luftsäcke
Körpertemperatur:	gleichwarm
Vermehrung:	Eier

Klasse:	FISCHE
Körperbedeckung:	Schuppen
Gliedmaßen:	keine (Flossen zur Fortbewegung)
Atmung:	Kiemen
Körpertemperatur:	wechselwarm
Vermehrung:	Eier; wenige Gattungen lebendgebärend, z. B. Guppy

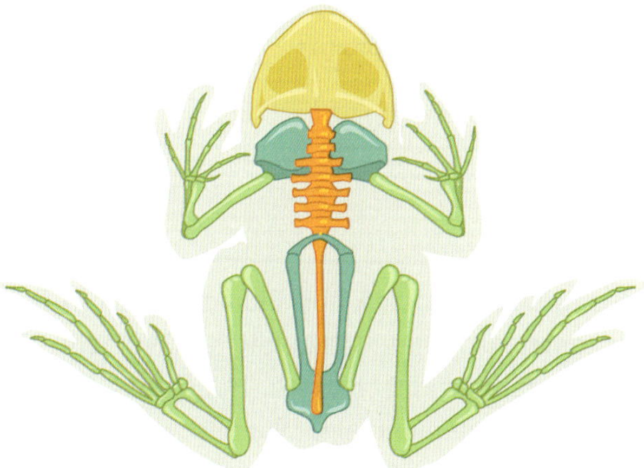

Klasse:	LURCHE
Körperbedeckung:	nackte Haut
Gliedmaßen:	4 Beine; vorne 4 Finger, hinten 5 Zehen
Atmung:	Außenkiemen bei Larven, durch Haut und Lunge bei erwachsenen Tieren
Körpertemperatur:	wechselwarm
Vermehrung:	Eier, die meist ins Wasser abgegeben werden (Entwicklung durch Metamorphose)

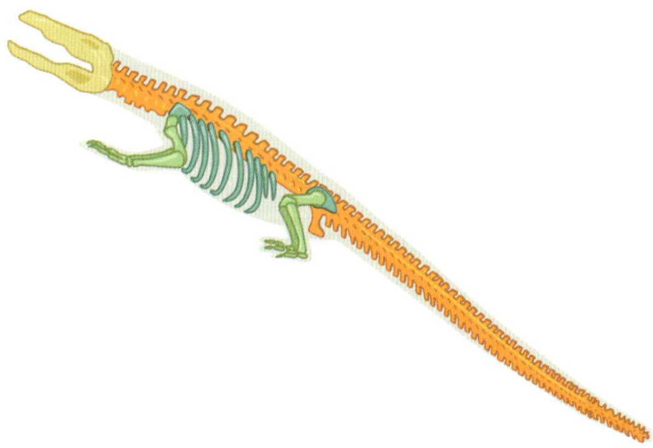

Klasse:	KRIECHTIERE
Körperbedeckung:	Schuppen
Gliedmaßen: (Ausnahme:	4 Beine mit je 5 Zehen Blindschleiche ist beinlos)
Atmung:	Lunge
Körpertemperatur:	wechselwarm
Vermehrung:	Eier, die im Boden vergraben werden; wenige Arten lebendgebärend, z. B. Kreuzotter

1 Aus jeder Tierklasse der Wirbeltiere kennst du sicher einige Vertreter.
Suche zur Klasse der Säugetiere, der Vögel und der Kriechtiere in Tierbüchern oder im Internet nach Vertretern. Schreibe sie auf und schreibe ihre Ordnung dazu.

Blütenpflanzen haben einen gemeinsamen Bauplan

1 Eine Tulpenpflanze

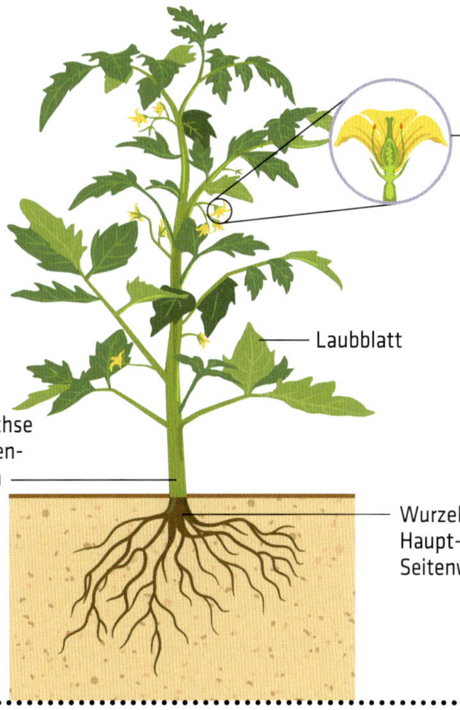

2 Bauplan einer Blütenpflanze

Blütenpflanzen haben gemeinsame Baumerkmale. Ihre drei Grundorgane sind Sprossachse, Blatt und Wurzel. Die Blüte (S. 108/109) dient der Fortpflanzung.

Sprossachse

Die Sprossachse trägt alle oberirdischen Pflanzenteile. Bei krautigen Pflanzen, wie bei der Tulpe, wird die Sprossachse auch Stängel genannt. Die Sprossachse der Bäume und Sträucher ist verholzt und heißt Stamm. Die Sprossachse gibt der Pflanze Festigkeit. Sie leitet in den Gefäßen Wasser und darin gelöste Mineralstoffe in die Blätter sowie Nährstoffe von den Blättern weg.

Laubblatt

Die wichtigste Aufgabe der Laubblätter ist die Fotosynthese (S. 118). Mithilfe des Sonnenlichtes werden organische Stoffe hergestellt. In den Blattadern verlaufen Gefäße, die das Wasser mit den darin gelösten Mineralstoffen in das Blattinnere leiten.

Wurzel

Wenn du Pelargonien aus Blumentöpfen in Balkonkästen umsetzt, fallen dir die Wurzeln auf. Man unterscheidet dickere Hauptwurzeln von dünneren Seitenwurzeln. Wurzeln verankern die Pflanze im Boden. Außerdem nehmen sie durch die Wurzeln Wasser mit darin gelösten Mineralstoffen auf. Diese werden in die oberirdischen Pflanzenteile geleitet.

Flachwurzler und Tiefwurzler

Pflanzen (wie z. B. die Taubnessel) mit dünnen Hauptwurzeln und vielen Seitenwurzeln heißen Flachwurzler. Im Vergleich dazu hat z. B. der Klatsch-Mohn eine dickere, lange Pfahlwurzel. Er ist ein Tiefwurzler. So ein Tiefwurzler findet auch in sandigen Böden Halt. Außerdem kann er Wasser aus tieferen Bodenschichten aufnehmen. Auch bei Bäumen und Sträuchern finden wir Flach- und Tiefwurzler. So sind Fichten und Rotbuchen Flachwurzler, Rot-Föhren hingegen Tiefwurzler.

Aus einer Zeitungsmeldung:
... Mit Geschwindigkeiten von über 90 Kilometern pro Stunde tobte ein Sturm über das Alpenvorland. Zahlreiche Straßen waren durch entwurzelte Fichten unpassierbar. Augenzeugen berichteten, dass Stämme hoher Föhren wie Streichhölzer umknickten. Der Sturm richtete ...

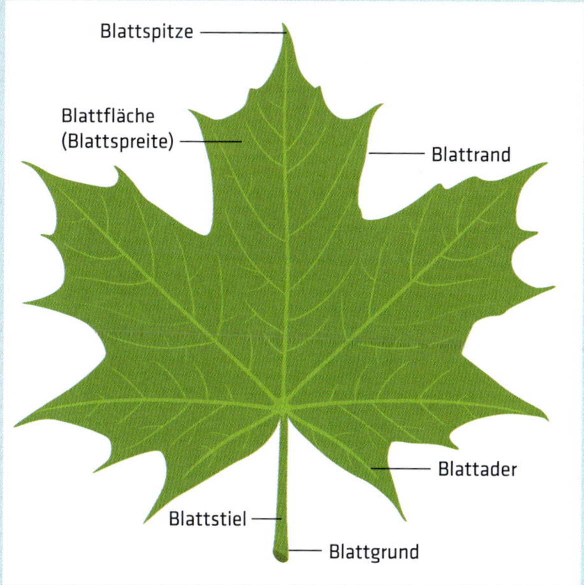

3 Bauplan eine Blattes

4 Taubnessel, ein Flachwurzler

5 Klatsch-Mohn, ein Tiefwurzler

6 Wurzelformen von Bäumen

1 Während einer längeren Trockenzeit im Frühsommer bewässern die Obstbäuerinnen und Obstbauern ihre Apfelbäume. So verhindern sie, dass Apfelfrüchte vorzeitig abfallen. Ihre Birnenbäume brauchen sie nicht zu bewässern. Erkläre, warum.

2 Bäume werden bei starken Stürmen entwurzelt oder knicken um. Beschreibe, warum manche Bäume umknicken, andere sogar entwurzelt werden.

Jetzt weiß ich´s!

Blütenpflanzen bestehen aus drei Grundorganen:

- **Sprossachse** mit Seitensprossen
- **Laubblätter**
- **Wurzeln** (Haupt- und Seitenwurzeln)

Wir unterscheiden **Flachwurzler** und **Tiefwurzler**.

Der Blütenaufbau

1 Blühende Kirschbäume mit einem Kirschzweig mit Blüten

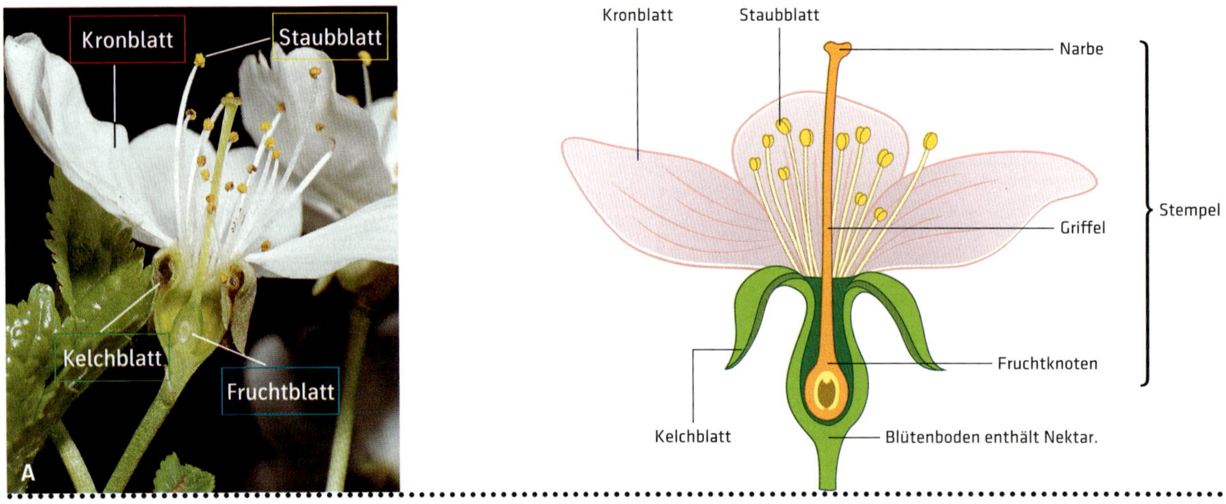

2 Aufbau einer Kirschblüte. A Längsschnitt durch eine Blüte; B Schema

Im Frühjahr blühen die Obstbäume. Schon von weitem leuchten die Kirschbäume mit Tausenden weißen Blüten.

Kron- und Kelchblätter der Kirschblüte

Bei offener Blüte fallen dir sofort die fünf großen, weißen Kronblätter auf. Sie locken Insekten an, zum Beispiel Bienen. Diese saugen aus der Blüte Nektar.

Wenn die Blüte geschlossen ist, werden die Kronblätter von fünf grünen Kelchblättern umhüllt. In dieser Knospe liegen geschützt die inneren Blütenteile.

Staubblätter sind die männlichen Blütenorgane

Im Inneren der Blüte befinden sich über 30 Staubblätter. Jedes Staubblatt besteht aus dem Staubfaden und dem verdickten Staubbeutel. Der gelbe Blütenstaub, die Pollenkörner, wird im Staubbeutel gebildet. Aus den winzig kleinen Pollenkörnern entwickeln sich die männlichen Geschlechtszellen. Staubblätter sind daher männliche Blütenorgane.

Die Fruchtblätter sind das weibliche Blütenorgan

Die Fruchtblätter sind zum Stempel zusammengewachsen. Der Stempel besteht (von oben nach unten) aus der klebrigen Narbe, dem Griffel und dem Fruchtknoten. Der Fruchtknoten enthält die Samenanlage mit der Eizelle. Die Fruchtblätter sind daher das weibliche Blütenorgan. Bei der Kirschblüte besteht der Stempel nur aus einem Fruchtblatt.

Die Kirschblüte ist eine Zwitterblüte

Blüten wie die Kirschblüten, die männliche und weibliche Blütenorgane enthalten, nennt man Zwitterblüten.

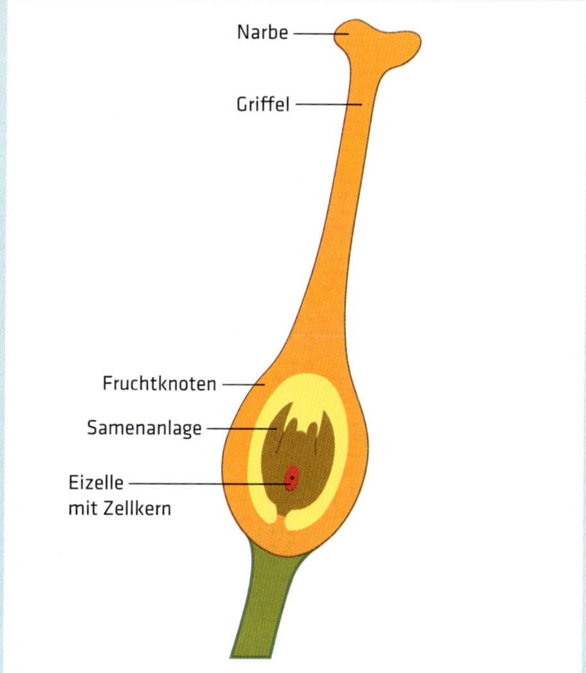

3 Aufbau eines Fruchtblattes

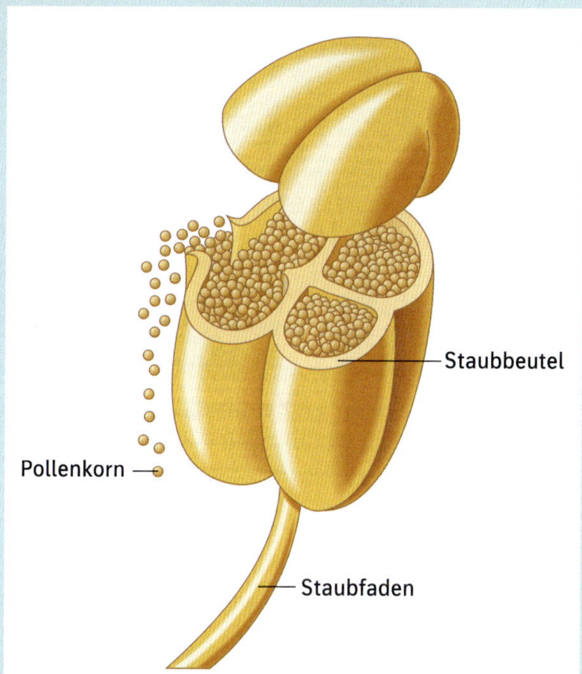

4 Aufbau eines Staubblattes

1 Beschreibe den Bau einer Kirschblüte. Zeichne und beschrifte sie.

2 Beschreibe die Aufgaben folgender Blütenteile bei der Bestäubung: Kelchblätter, Kronblätter, Staubblätter, Blütenboden und Stempel.

Jetzt weiß ich´s!

Aufbau einer Kirschblüte (von außen nach innen):

5 **Kelchblätter** (schützen die inneren Blütenteile)
5 **Kronblätter** (locken Insekten an)
ca. 30 **Staubblätter** (männliche Blütenorgane)
1 **Fruchtblatt** (weibliches Blütenorgan)

Pollenkörner „reisen"

1 Insektenbestäubung bei der Kirschblüte

2 Männliche Blüten (gelbe Haselkätzchen) und weibliche Blüten (rot) eines Haselstrauches

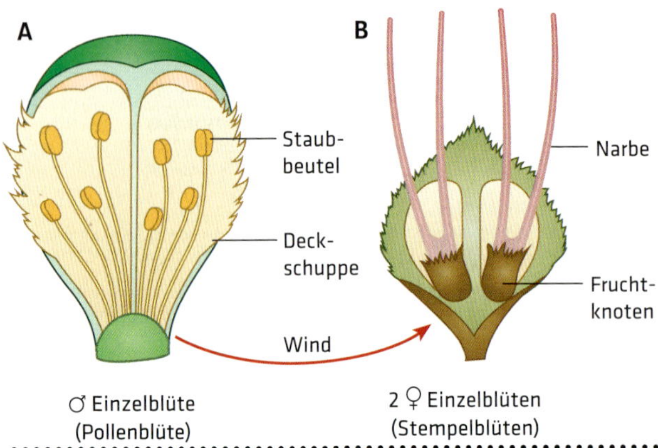

3 Windbestäubung bei der Hasel. A männliche Blüte; B weibliche Blüte

Gelangen männliche Pollenkörner auf eine weibliche Narbe derselben Pflanzenart, ist die Blüte bestäubt. Das kann zum Beispiel durch Insekten oder durch den Wind erfolgen.

Insektenbestäubung beim Kirschbaum

Bienen suchen in den Kirschblüten nach Nahrung: Nektar und Blütenstaub (Pollen). Aus Nektar machen die Bienen Honig. Um an den Nektar zu gelangen, drückt die Biene die reifen, mit Pollenkörnern gefüllten Staubbeutel zur Seite. Dabei bleiben viele Pollenkörner am Haarpelz des Insekts hängen.

Die Biene fliegt von Blüte zu Blüte. Bei jeder Blüte, zu der sie fliegt, streift sie einige Pollenkörner an der klebrigen Narbe des Stempels ab. So wird die Blüte durch die Biene bestäubt. Man spricht daher von Insektenbestäubung.

Windbestäubung beim Haselnussstrauch

Ganz anders erfolgt die Bestäubung bei der Hasel. Die Hasel hat männliche und weibliche Blüten. Die männlichen Blüten sind die gelb gefärbten Haselkätzchen. Die weiblichen Blüten haben rote, pinselartige Narben. Im Gegensatz zu den Zwitterblüten der Kirsche sind sie getrenntgeschlechtlich. Im zeitigen Frühjahr verträgt der Wind den Blütenstaub der reifen Staubbeutel. Einige Pollenkörner gelangen durch den Wind auf die klebrigen Narben der weiblichen Blüten und bleiben hängen. Da der Wind die Haselblüten bestäubt, spricht man von Windbestäubung.

Jetzt weiß ich´s!

Die Übertragung von Pollenkörnern einer Blüte auf die Narbe einer anderen Blüte nennt man **Bestäubung**.
Erfolgt die Bestäubung durch ein Insekt, spricht man von **Insektenbestäubung**.
Bei der **Windbestäubung** werden die Blüten durch den Wind bestäubt.

Wie kommt es zur Befruchtung?

Die Bestäubung

Insekten wie Bienen fliegen von Blüte zu Blüte. Auf jeder Narbe streifen sie dabei Pollenkörner ab. Die Blüte wird bestäubt. Aus jedem Pollenkorn wächst ein mikroskopisch kleines, schlauchartiges Gebilde, ein Pollenschlauch.

„Wettwachsen" der Pollenschläuche

Diese Pollenschläuche wachsen durch die Narbe und den Griffel in die Samenanlage zur Eizelle. Der Pollenschlauch, der am schnellsten wächst, dringt in die Samenanlage ein.

Die Befruchtung

Inzwischen ist im Pollenschlauch die männliche Geschlechtszelle herangereift.
Hat der Pollenschlauch die Eizelle erreicht, öffnet er sich. Die männliche Geschlechtszelle und die Eizelle verschmelzen. Die Blüte entwickelt sich zur Kirschfrucht.

1 Eine Biene bestäubt eine Blüte.

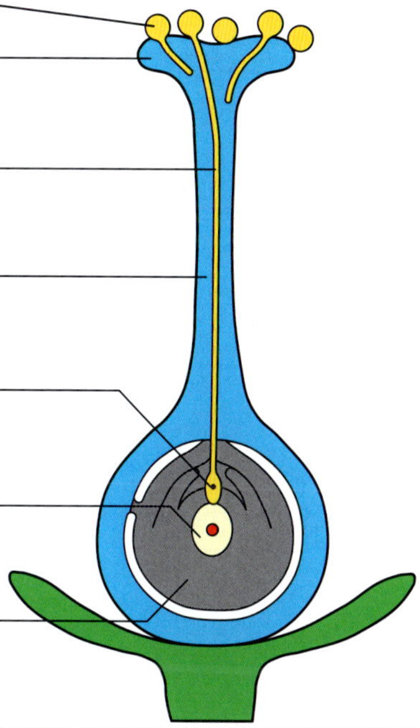

2 Aus jedem Pollenkorn wächst ein Pollenschlauch.

1 Nachdem sich die Knospen geöffnet hatten, wurden von einigen Blüten eines Kirschbaumzweiges die Kronblätter entfernt. Aus den Fruchtknoten der Blüten entwickelten sich nur einige Kirschen. An den anderen Zweigen des Baumes reiften Kirschen heran. Was war geschehen? Erkläre.

Jetzt weiß ich´s!

Nachdem eine Blüte bestäubt wurde, wachsen **Pollenschläuche** in die Samenanlage. Im Pollenschlauch bildet sich die männliche Geschlechtszelle. Bei der **Befruchtung verschmelzen** die **männliche Geschlechtszelle** und die **Eizelle**.

Nach der Befruchtung entwickeln sich Früchte mit Samen

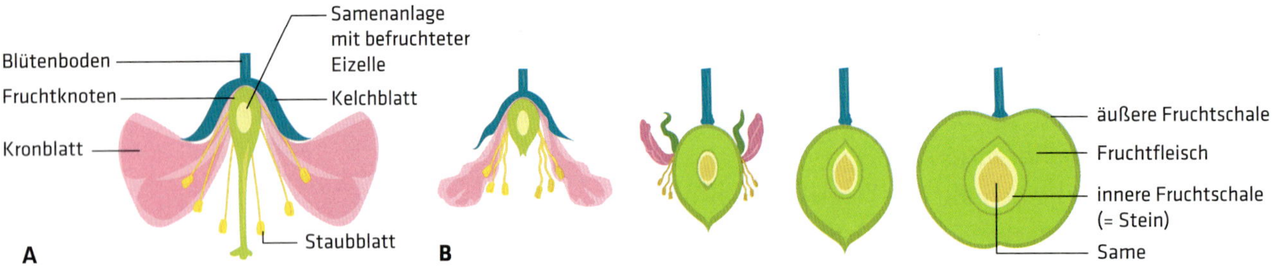

1 Eine Kirsche reift heran. Von der Kirschblüte (A) bis zur reifen Frucht (B).

Die Frucht wächst heran

Nach der Befruchtung verändern sich die Blüten. Bei der Kirsche werden die Kronblätter braun und fallen ab. Auch der Griffel und die Narbe des Stempels vertrocknen. Kelch- und Staubblätter vertrocknen langsam und fallen ab. Der Fruchtknoten schwillt an. Mit dem Größerwerden des Fruchtknotens beginnt die Fruchtbildung. Die reife Kirsche wächst heran.

Die Kirsche ist eine Steinfrucht

Aus der Wand des Fruchtknotens entwickelt sich die Fruchtwand. Sie besteht aus drei Schichten: der glatten Haut, dem saftigen Fruchtfleisch und der steinharten Schale des Kerns. Deshalb bezeichnet man solche Früchte als Steinfrüchte. Im Inneren des Kirschkerns liegt geschützt der Same.

1 Beschreibe mithilfe der Abbildungen auf dieser Doppelseite die Fruchtformen von Birne, Haselnuss und Brombeere.

2 Zähle auf, aus welchen Blütenteilen eine Blüte besteht. Nach der Befruchtung kannst du etwas beobachten. Erzähle, was.

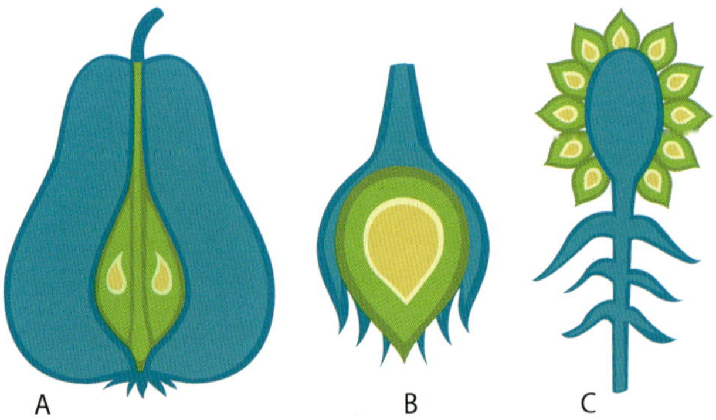

2 Verschiedene Fruchtformen. A Birne; B Haselnuss; C Brombeere

Hülsenfrucht (Erbse 3A).

Der Stempel einer Erbsenblüte besteht aus einem verwachsenen Fruchtblatt, das entlang einer Mittelrippe zusammengeklappt ist. Darin befinden sich die Samen – daher der Name Hülsenfrucht.

Kapselfrucht (Mohn 3B).

Bei der Mohnblüte ist der Stempel aus mehreren Fruchtblättern entstanden. Im Querschnitt erkennst du Scheidewände, an denen sich die Samenanlagen befinden. In der reifen Frucht, der Kapsel, sind die ungefähr 3000 Samen von den Scheidewänden gelöst.

Beerenfrucht (Stachelbeere 3C).

Die Blüte der Stachelbeere hat weißliche, sehr kleine Blütenblätter. Die gesamte Fruchtwand der Stachelbeere ist fleischig. Beeren sind Früchte, bei denen das saftige Fruchtfleisch zahlreiche Samen umschließt.

Apfelfrucht (Apfel 3D).

Aus dem Fruchtknoten entwickelt sich die eigentliche Frucht: das Kerngehäuse mit den Samen (den Apfelkernen). Der saftige Teil des Apfels ist aus dem fleischigen Blütenboden entstanden (s. Abb. 2A auf S. 112).

Sammelfrucht (Erdbeere 3E).

Eine Erdbeerblüte hat mehrere Stempel. Aus jedem Stempel entwickelt sich eine Einzelfrucht mit einer harten Fruchtwand. Die Einzelfrüchte heißen Nüsschen. Sie sitzen als kleine Körner auf der Oberfläche des fleischigen Blütenbodens. Sie bilden zusammen eine Sammelfrucht, die Erdbeere.

3 Entstehung unterschiedlicher Fruchtformen. Blüten a) und Früchte b) im Längsschnitt

Jetzt weiß ich´s!

Wurde eine Blüte befruchtet, entsteht eine **Frucht**. Man unterscheidet verschiedene **Fruchtformen**:

- **Steinfrucht** (z. B. Kirsche)
- **Apfelfrucht** (z. B. Apfel)
- **Beerenfrucht** (z. B. Stachelbeere)
- **Sammelfrucht** (z. B. Erdbeere)
- **Hülsenfrucht** (z. B. Erbse)
- **Kapselfrucht** (z. B. Mohn)

Wie werden Früchte und Samen verbreitet?

1 Löwenzahn – Pflanzen

2 Löwenzahn – Flugfrüchte

Der Löwenzahn entwickelt Flugfrüchte

Vermutlich hast du schon einmal die kleinen „Fallschirme“ des Löwenzahns fortgeblasen. An jedem „Fallschirm“ hängt eine Nussfrucht mit einem Samen. Solche Flugfrüchte werden vom Wind vertragen, landen auf dem Boden, wo sie sich mit Widerhäkchen verankern.

Flugfrüchte – Schraubenflieger

Bei der Ahornfrucht hingegen befindet sich der Same am Ende des Flügels. Fällt die Frucht vom Baum, dreht sie sich schraubenförmig wie ein Propeller in der Luft und kann vom Wind fortgeweht werden – daher der Name Schraubenflieger.

Flugfrüchte mit Gleitflügeln

Auch bei Bäumen wie Linde und Birke werden die Samen vom Wind verbreitet. Mithilfe dünner Flughäute gleiten die Früchte durch die Luft. Die Samen sind in der Mitte dieser Gleitflügel.

Streufrüchte

Die Kapselfrüchte des Mohns schwanken im Wind hin und her. (Abb. 3B auf S. 113). Sie streuen dabei wie ein Salzstreuer aus Poren die leichten Samen aus. Diese werden vom Wind verweht. Solche Früchte heißen Streufrüchte.

Klettfrüchte

Klettfrüchte haben Widerhaken. Damit bleiben sie im Fell vorbeilaufender Säugetiere hängen. So tragen Säugetiere zur Samenverbreitung bei.

3 Flugfrüchte von Bäumen. A Feld-Ahorn, B Linde, C Birke

4 Klettfrüchte der Großen Klette

Ameisenfrüchte

Ameisen fressen gerne die süßen Anhängsel der Früchte von Schöllkraut, Veilchen und Taubnessel. Dabei verschleppen sie die Früchte und verbreiten diese.

Lockfrüchte

Vögel werden durch die Früchte von Holunder, Vogelbeere und Tollkirsche angelockt. Sie fressen diese Lockfrüchte und scheiden die unverdaulichen Samen mit dem Kot wieder aus.

Schleudervorrichtungen

Berührst du die reife Frucht des Springkrauts, so rollen sich die Fruchtblätter plötzlich ein. Die Samen der Schleuderfrucht werden dabei fortgeschleudert. Das Springkraut kann seine Samen auch selbst verbreiten. Wenn die Frucht reif ist, springt sie auf. Dabei werden die Samen weggeschleudert.

5 Schleuderfrucht beim Springkraut.
A unreife Frucht; B reife Frucht

1. Erkläre, wie Lockfrüchte verbreitet werden.

2. Früchte und Samen werden auch durch den Menschen verbreitet. Nenne Beispiele.

3. Das Springkraut heißt auch „Rühr-mich-nicht-an“. Erkläre, warum.

Jetzt weiß ich´s!

Je nach der Art, wie Früchte und Samen verbreitet werden, unterscheiden wir:

- **Flugfrüchte**
- **Streufrüchte**
- **Klettfrüchte**
- **Ameisenfrüchte**
- **Lockfrüchte**
- **Schleuderfrüchte**

6 Eine Ameise transportiert eine Frucht.

7 Lockfrüchte.
A Eberesche (Vogelbeere); B Holunder; C Tollkirsche
Vorsicht! Blüten, Blätter und Früchte der Tollkirsche sind für den Menschen sehr giftig!

Im Samen ruht ein Embryo

1 Feuerbohne. A Samen; B gequollener Same; C Samen mit aufgeklappten Keimblättern

Ein Same quillt in Wasser

Legst du eine Bohne für einige Stunden ins Wasser, kannst du Folgendes beobachten: Die Bohne wird größer und schwerer. Sie nimmt Wasser auf. Man sagt, die Bohne quillt.

Im Samen „steckt“ ein vollständiges Pflänzchen

Schälst du die Samenschale ab, siehst du einen Keimling oder Embryo. Die beiden Bohnenhälften sind die Keimblätter. Sie enthalten die Nährstoffe, die der Embryo zum Wachsen braucht. Wenn du die Keimblätter auseinanderklappst, entdeckst du die Keimwurzel und Teile des Keimsprosses. An der Spitze des Keimstängels kannst du sogar die ersten Laubblätter als winzige, weiße Blättchen erkennen. Ein Samen enthält also ein vollständiges Pflänzchen, den Embryo. Trocken kannst du Samen längere Zeit aufbewahren. In dieser Zeit verändert sich der Embryo nicht: Er ruht.

1 Miss die Länge einer trockenen Feuerbohne. Wiege ihr Gewicht. Lege dann die Bohne einen Tag lang ins Wasser. Miss und wiege noch einmal. Was hat sich verändert? Erkläre.

2 Lege eine Feuerbohne ins Wasser und lasse sie quellen. Schneide dann die Samenschale an ihrer Rückseite auf. Klappe die Feuerbohne auseinander. Du siehst jetzt die beiden halbmondförmigen Keimblätter und die Keimwurzel. Fotografiere, was du siehst. Klebe das Foto in dein Heft und beschrifte es.

Jetzt weiß ich´s!

Der Samen der Feuerbohne enthält ein vollständiges Pflänzchen, den **Embryo**. Er besteht aus 2 Keimblättern, einer **Keimwurzel**, einem **Keimstängel** und 2 **Laubblättern**.

Der Embryo wächst zur Keimpflanze

1 Eine Erbse keimt.

„... In jedes Loch werden 3 bis 4 Erbsen etwa 4 cm tief in die Erde gelegt und mit Erde angedrückt ..." So heißt es in einer Anleitung zur Aussaat von Erbsen. Anschließend soll kräftig gegossen werden. Verfolgen wir, was passiert:

Streckungswachstum der Keimwurzel

Der Same der Erbse quillt auf und vergrößert sich. Nach einigen Tagen platzt die Samenschale und die Keimwurzel wächst.

Die Keimwurzel dringt senkrecht in die Erde ein und wird länger. Bald wachsen auch Seitenwurzeln schräg nach unten.

Der Keimstängel wächst

Dann wächst der Keimstängel. Er dringt mit den Laubblättern durch die Erdoberfläche. Im Licht werden Stängel und Blätter grün. Eine solche Pflanze nennt man Keimpflanze. Der Vorgang heißt Keimung.

1 Lasse drei Erbsensamen quellen. Fülle ein Glas mit Blumenerde. Drücke die drei Samen am Glasrand etwa 4 cm tief in die Erde, sodass du sie von außen sehen kannst. Umhülle das Glas mit schwarzem Papier. Stelle es an einen hellen, warmen Platz. Halte die Erde feucht. Miss 14 Tage lang täglich die Länge von Keimwurzel und Keimstängel.

Jetzt weiß ich´s!

Keimung eines Erbsensamens: Die Erbse quillt. ➡ Die **Keimwurzel** wächst. ➡ Der **Keimstängel** wächst. ➡ Die Laubblätter dringen durch die Erdoberfläche. ➡ Stängel und Laubblätter werden grün.

Pflanzen ernähren sich anders als Mensch und Tier

Ein Blatt wird morgens an der Ober- und Unterseite mit einem Streifen (z.B. Aluminiumfolie) abgedeckt. Das andere nicht. Beide Blätter sind den ganzen Tag im hellen Licht.

Beide Blätter werden abgeschnitten und kurz in heißes Wasser getaucht. Eine Stunde später werden sie in Brennspiritus gelegt, der das Blattgrün herauslöst.

Die entfärbten Blätter werden mit Wasser abgespült und mit Jodlösung übergossen. Jod färbt Stärke blau.

1 Stärkenachweis in Blättern der Feuerbohne

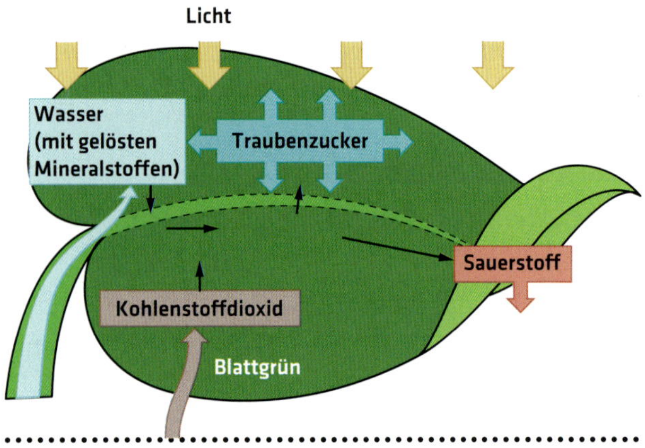

2 Ablauf der Fotosynthese: Wasser, Licht und Kohlenstoffdioxid müssen aufgenommen werden. Sauerstoff wird abgegeben.

1 Erkläre den Versuch in Abbildung 1. Führe den Versuch mit Blättern von Topf- und Gartenpflanzen durch.

Die Fotosynthese

Aus dem Erdboden nimmt die Pflanze Wasser mit darin gelösten Mineralstoffen auf, aber keine Nährstoffe (Kohlenhydrate, Fette und Eiweiße). Das Kohlenhydrat Traubenzucker können grüne Blätter selbst bilden.

Dazu brauchen sie Wasser und Licht (siehe Abb. 1). Die Energie des Lichtes können sie mithilfe des Blattgrüns nützen. Außerdem müssen sie aus der Luft Kohlenstoffdioxid aufnehmen. Grüne Pflanzen können daraus Traubenzucker erzeugen.

Sie können Traubenzucker auch in andere Nährstoffe umwandeln und diese in Wurzeln, Knollen und Samen speichern. Sie bauen sich Nährstoffe also selbst auf. Der Vorgang, bei dem Pflanzen Traubenzucker bilden, heißt Fotosynthese. Dabei entsteht Sauerstoff, der an die Luft abgegeben wird. Ohne diesen Sauerstoff wäre das Leben auf der Erde nicht möglich.

Jetzt weiß ich´s!

Grüne Pflanzen bauen sich ihre Nährstoffe selbst auf. Der Vorgang heißt **Fotosynthese**. Er läuft in den grünen Blättern ab.

Frühblüher

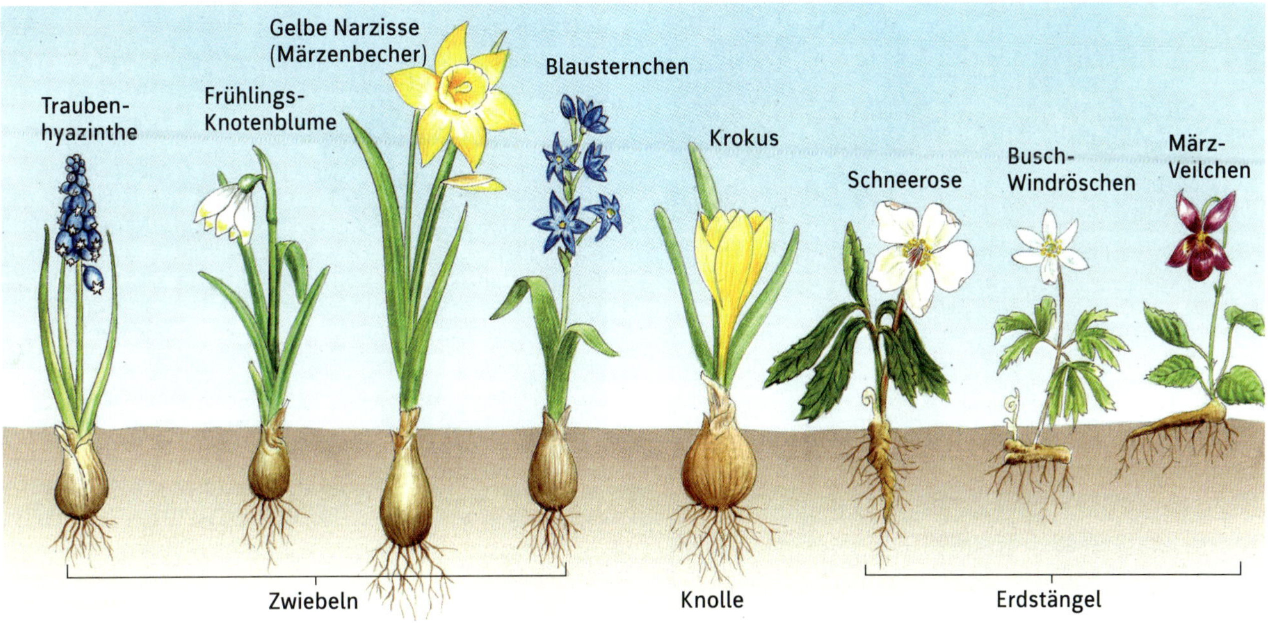

1 Frühblüher im Garten

Frühblüher im Garten

Wir nennen Pflanzen, die im Frühling als erste blühen, Frühblüher. Wie schaffen es diese Pflanzen, ihre Blätter durch den kaum aufgetauten Boden zu schieben und bei Schnee und Eis ihre Blüten zu entwickeln?

Zwiebeln als Speicherorgane

Schon seit dem Herbst liegen haselnussgroße Zwiebeln der Schneeglöckchen im Erdboden. In diesen Zwiebeln sind große Mengen an Reservestoffen gespeichert. Daher können Frühblüher im Frühjahr austreiben und blühen.

Es wird auch schon für das nächste Jahr vorgesorgt: Es wird eine neue Zwiebel gebildet, in der Reservestoffe (z. B. Stärke) für den nächsten Frühling gebildet werden. Gleichzeitig bilden sich noch Brutzwiebeln, aus denen weitere Schneeglöckchenpflanzen entstehen können.

Alle Frühblüher haben Speicherorgane

Alle Frühblüher haben Speicherorgane, in die nach der Blütezeit wieder Reservestoffe für den nächsten Frühling gespeichert werden. Neben den Zwiebeln gibt es noch andere Speicherorgane. So hat die Schlüsselblume zum Beispiel einen Erdstängel. Beim Krokus schwillt der Stängel zu einer zentimeterdicken Knolle an. Darin wird Stärke gespeichert.

2 Frühlings-Knotenblume

3 Schneeglöckchen. A Pflanzen; B Zwiebeln im Boden

4 Krokusse

5 Busch-Windröschen

6 Schlüsselblumen

Du kannst Knolle und Zwiebel leicht auseinanderhalten: Eine Knolle besteht aus einem Stück, die Zwiebel aus mehreren Stücken.

Frühblüher im Laubwald

Im Frühling haben die Bäume eines Rotbuchenwaldes noch keine Blätter. Die Sonne scheint auf den Waldboden. An manchen Stellen erscheint er völlig weiß: Busch-Windröschen leuchten mit ihren Blüten hell in der Sonne. An anderen Plätzen findest du Schlüsselblumen, Lerchensporn und das gelb blühende Scharbockskraut, dessen glänzende, rundliche Blätter sofort auffallen. Da die Frühblüher die erste Nahrung für Insekten sind, stehen die meisten Frühblüher unter Naturschutz.

7 Lerchensporne

8 Scharbockskraut . A Es wächst zum Beispiel unter Hecken und in lockerem Buschwald. B Pflanze mit Wurzelknollen.

Das Bild im Sommer

Machst du den gleichen Spaziergang im Sommer, ist von der Blütenpracht des Frühjahrs nichts mehr zu sehen. Durch das dichte Blätterdach erreicht nicht mehr genügend Licht den Waldboden. Die Frühblüher haben aber schon genügend Speicherstoffe in ihren Speicherorganen gesammelt, um im nächsten Frühjahr wieder austreiben zu können.

1. So mancher Frühblüher findet als Heilpflanze Verwendung. Erkundige dich in einer Apotheke.

2. Welche Umweltbedingungen herrschen, wenn das Busch-Windröschen im Frühling aus dem Boden austreibt? Erkläre, wie das Busch-Windröschen der Jahreszeit angepasst ist. Warum können die Frühblüher im Frühjahr als Erste austreiben?

3. Suche dir einen Frühblüher aus und erstelle über ihn einen Steckbrief. (Name, Standort, Blütezeit, Aussehen, Familie, Blütenfarbe, Blütenbau, Laubblätter, Stängel und Speicherorgan). Verwende dazu ein Pflanzenlexikon.

Jetzt weiß ich´s !

Alle **Frühblüher** haben **Speicherorgane**: Zwiebeln, Knollen oder Erdstängel. Aus ihnen beziehen sie Nährstoffe, um auszutreiben und zu blühen. Die grünen Blätter bilden Traubenzucker, der als Stärke in den Speicherorganen bis zum nächsten Frühling gespeichert wird. Fast alle Frühblüher stehen unter Naturschutz.

9 Laubwald im Frühjahr

10 Laubwald im Sommer

11 Laubwald im Winter

Wann blühen die ersten Pflanzen im Jahr?

Den Frühling kannst du riechen, spüren, sehen, hören, ja sogar schmecken. Bald ist es wieder so weit! Sobald es wärmer wird, öffnen sich die ersten Blüten. Von Tag zu Tag blühen mehr Arten. Auf dieser Seite sind einige Frühblüher abgebildet. Doch hat sich beim Zusammenstellen der Frühblüher ein Problem ergeben. Wir wissen nicht genau, in welcher Reihenfolge die Pflanzen ihre Blüten öffnen. Außerdem wissen wir nicht mehr, wie die Pflanzen heißen. Erscheinen die Blüten der verschiedenen Frühblüher überall in der gleichen Reihenfolge? Gibt es dafür überhaupt eine Regel? Trage in die weißen Kästchen die Pflanzennamen ein. Trage in die Kreise die Reihenfolge (1-11) ein, in der die Pflanzen im Frühjahr zu blühen beginnen.

Welche Pflanze ist die erste?

Pflanzenart	**Erste Blüte beobachtet**
Blühender Haselstrauch	
Busch-Windröschen	
Schlüsselblume	
Krokus	
Tulpe	
Weide	
Huflattich	
Schneeglöckchen	
Frühlings-Knotenblume	
Pestwurz	
Narzisse	

1

Einzelarbeit

Beginne bereits im Februar (in einem warmen Winter sogar im Jänner) mit deinen Frühlingsbeobachtungen. Halte am Schulweg Ausschau nach den ersten Blüten und schreibe in die Tabelle oben, wann du die einzelnen Pflanzenarten zum ersten Mal blühen gesehen hast.

2

Gruppenarbeit

Nachdem du alle Daten eingetragen hast, kannst du sie mit den anderen Mitgliedern deiner Arbeitsgruppe vergleichen. Schreibt für jede Pflanzenart auf, wann sie als erste, zweite, dritte usw. geblüht hat. Die Pflanze, die am öftesten als erste geblüht hat, bekommt eine eins, die nächste zwei usw. Schreibt nun die ermittelten Ziffern in die Kreise zu den Bildern auf Seite 122.

3

Präsentation

Präsentiert eure Ergebnisse vor der ganzen Klasse. Vergleicht sie mit den Ergebnissen der anderen Arbeitsgruppen. Welche Pflanzenart blüht als erste im Frühjahr?

Kreuzblütler erkennt man auf den ersten Blick

1 Raps, eine wichtige Futter- und Ölpflanze. A Pflanzen; B Einzelblüten; C Blütenlängsschnitt

Die Familie der Kreuzblütler (Kohlgewächse)

Raps und Wiesen-Schaumkraut sind miteinander verwandt. Sie haben beide vier Kronblätter. Diese sind kreuzförmig angeordnet. Die zwei Pflanzen gehören daher beide zur Familie der Kreuzblütler. Weitere Verwandtschaftsmerkmale der Kreuzblütler: Sie haben vier Kelchblätter, sechs Staubblätter und einen Stempel.

Verschiedene Gattungen von Kreuzblütlern

Kreuzblütler unterscheiden sich aber auch in einigen Merkmalen voneinander wie der Blattform oder der Blütenfarbe. Das Wiesen-Schaumkraut blüht hellviolett, der Raps gelb. Deshalb ordnen die Biologinnen und Biologen die unterschiedlich gestalteten Pflanzen einer Familie nach Gattungen. Wiesen-Schaumkraut und Raps gehören zur Familie der „Kreuzblütler", aber jeweils zu einer anderen Gattung – so gehört das Wiesen-Schaumkraut zur Gattung „Schaumkraut", der Raps zur Gattung Kohlgewächse.

2 Wiesen-Schaumkraut

Jetzt weiß ich´s!

So unterschiedliche Pflanzen wie Wiesen-Schaumkraut und Raps sind **Kreuzblütler**.
Diese haben vier **kreuzförmig angeordnete Kronblätter**.
Art Wiesen-Schaumkraut ➡ Gattung Schaumkraut ➡ Familie Kreuzblütler
Art Raps ➡ Gattung Kohlgewächse ➡ Familie Kreuzblütler

Die Heckenrose hat viele Verwandte

Die Familie der Rosengewächse

Die meisten Obstbäume sowie Erdbeere, Schlehdorn, Vogelbeere und Heckenrose gehören zu einer Familie. An der Blüte kannst du die Verwandtschaft deutlich erkennen. Du findest fünf Kelchblätter, fünf Kronblätter, viele Staubblätter (5 oder 2 bis 4 mal so viele) und in der Mitte der Blüte ein Fruchtblatt oder mehrere Fruchtblätter. Man nennt diese Familie Rosengewächse.

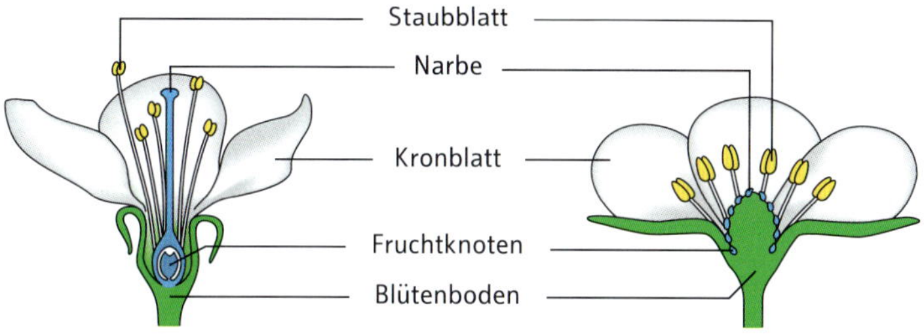

1 Die Blüte der Kirsche und der Erdbeere im Vergleich.

Bäume, Sträucher und krautige Pflanzen

An der Erdbeere siehst du, dass die Familie der Rosengewächse nicht nur Bäume und Sträucher umfasst. Bei Bäumen und Sträuchern sind die Sprossachsen verholzt. Die Erdbeere hingegen gehört zu den krautigen Pflanzen. Ihr Stängel ist nicht verholzt.

1 Nenne einen Baum, einen Strauch und eine krautige Pflanze, die zu den Rosengewächsen gehören. Informiere dich, wann sie blühen und wann sie ihre Früchte tragen.

Jetzt weiß ich´s!

Familie der **Rosengewächse**: 5 Kelchblätter, 5 Kronblätter, viele Staubblätter, ein Fruchtblatt oder mehrere Fruchtblätter
Beispiele: Kirschbaum, Apfelbaum, Heckenrose, Schlehdorn, Erdbeere.

2 Heckenrose

3 Wald-Erdbeere

4 Marillenbaumblüten

Taubnesseln haben Lippenblüten

Familie der Lippenblütler (Taubnesselgewächse)

Die Kronblätter einer Taubnessel-Blüte sind im unteren Abschnitt zu einer Röhre verwachsen. Im oberen Abschnitt bilden die Kronblätter einen „Mund“ mit einer Oberlippe und einer Unterlippe. Die Unterlippe ist der „Landeplatz“ für Hummeln und Bienen. Vergleichst du die Stängel und Blattstellungen verschiedener Lippenblütler, findest du weitere gemeinsame Merkmale: Alle Stängel sind vierkantig und hohl; die Laubblätter stehen einander kreuzweise gegenüber. Mehrere Blüten stehen über jedem Blattpaar. Die Taubnessel gehört zur Gattung Taubnesselgewächse.

1 Lippenblütler. A Gefleckte Taubnessel; B Bau der Blüte eines Lippenblütlers

Der Schlagbaum-Mechanismus

Landet z. B. eine Hummel auf einer Blüte, um Nektar zu saugen, drückt sie die Platte auf der Unterlippe nach hinten. Dadurch kippt ein Staubblatt nach unten und Pollenkörner bleiben am haarigen Pelz der Hummel haften. Besucht die Hummel daraufhin eine andere Blüte, streift sie die Pollenkörner an der Narbe dieser Pflanze ab. Dadurch wurde die Blüte bestäubt

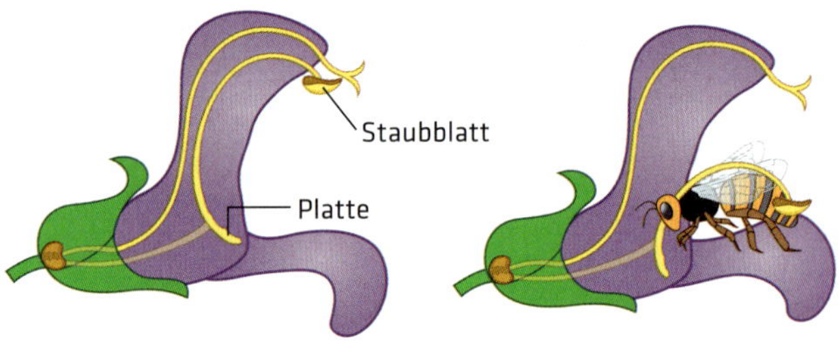

2 Der Schlagbaum-Mechanismus

Gewürz- und Heilpflanzen

Viele Lippenblütler wie Salbei und Thymian werden als Küchengewürze und als Heilpflanzen verwendet.

3 Wiesen-Salbei

1 Informiere dich in einer Apotheke, gegen welche Krankheiten Salbei und Thymian verwendet werden.

Jetzt weiß ich´s!

Familie der **Lippenblütler**: Die **Kronblätter** sind zu einer **Röhre verwachsen**. Im oberen Blütenabschnitt sind eine **Ober**- und eine **Unterlippe** ausgebildet. Die **Stängel** von Lippenblütlern sind **vierkantig** und **hohl**. Die **Laubblätter** stehen einander **kreuzweise gegenüber**.

Art Gefleckte Taubnessel ➡ Gattung Taubnessel ➡ Familie Lippenblütler

Art Wiesen-Salbei ➡ Gattung Salbei ➡ Familie Lippenblütler

Erbsen gehören zu den Schmetterlingsblütlern

1 Garten-Erbse

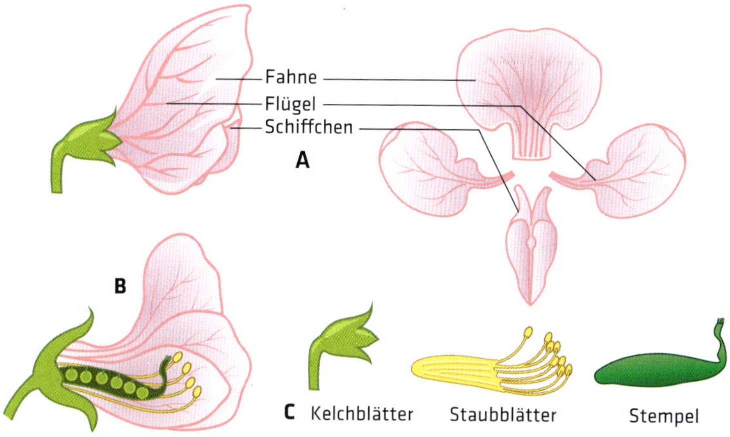

2 Erbsenblüte. A Gesamtansicht; B Längsschnitt; C zerlegte Blüte

Betrachtest du eine Erbsenblüte von vorne, sehen ihre Kronblätter fast wie Flügel eines Schmetterlings aus. Deshalb gehört die Erbse zur Ordnung der Schmetterlingsblütler (Saubohnengewächse).

Fahne, Flügel und Schiffchen

Wegen dieser Ähnlichkeit nennt man die beiden äußeren Kronblätter auch Flügel. Das obere Kronblatt heißt Fahne. Die beiden unteren sind zum kahnförmigen Schiffchen verwachsen. Im Schiffchen befindet sich der Fruchtknoten, der von zehn Staubblättern umgeben ist.

1 Drücke bei einer Schmetterlingsblüte mit einer Nadel Flügel und Schiffchen vorsichtig nach unten. Beschreibe, was passiert.

Fremdbestäubung und Selbstbestäubung

Schmetterlingsblütler können nur durch Insekten bestäubt werden, die schwer genug sind. Setzt sich ein Insekt auf das Schiffchen, muss es dieses nach unten drücken. Die Staubbeutel stäuben das Tier dabei mit Pollenkörnern ein. Auf der nächsten Blüte bleiben die Pollenkörner auf der Narbe kleben.

Die meisten Insekten sind jedoch für diese Art der Fremdbestäubung zu leicht. Das Schiffchen bleibt geschlossen und die reifen Pollenkörner fallen von selbst auf die Narbe des Stempels. Die Pflanze hat sich selbst bestäubt. Man spricht von einer Selbstbestäubung.

Auch die Bohne ist ein Schmetterlingsblütler

Schmetterlingsblütler wie Busch- und Stangenbohnen stammen aus Südamerika und werden auf der ganzen Welt angebaut und als Gemüse geschätzt.

Jetzt weiß ich´s!

Schmetterlingsblütler erkennst du an der Form der Kronblätter: **Fahne**, **Flügel** und **Schiffchen**. Im Schiffchen liegen Fruchtknoten und Staubblätter. Meist bleibt das Schiffchen geschlossen: Es findet eine Selbstbestäubung statt.

Art Garten-Erbse ➡ Gattung Erbsen ➡ Familie Schmetterlingsblütler

Art Busch-Bohne ➡ Gattung Saubohnen ➡ Familie Schmetterlingsblütler

Was haben Sonnenblume und Gänseblümchen gemeinsam?

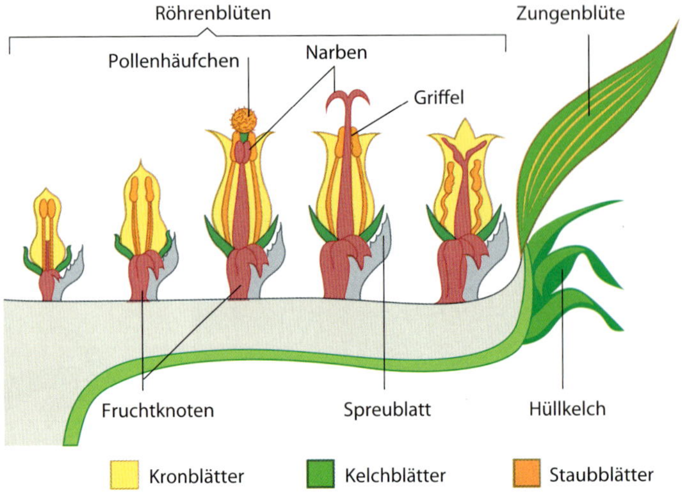

1 Sonnenblume. A Gesamtansicht; B Detailansicht

Die Sonnenblume hat viele kleine Einzelblüten

Auf den ersten Blick ist die Sonnenblume eine einzelne Blüte. Schneiden wir sie von oben nach unten auf, so können wir von der Seite in die „Blüte" hineinschauen. Das obere Ende des Stängels ist korbartig verbreitert und trägt viele Einzelblüten. Daher gehört sie zu den Korbblütlern (Asterngewächsen).

Zungenblüten- und Röhrenblüten

Die Randblüten heißen Zungenblüten. Ihnen fehlen Stempel und Staubgefäße. Sie haben die Aufgabe, Insekten anzulocken. Die inneren Blüten sind Röhrenblüten, die nur kleine Kronblätter haben.

1 Vergleiche die Blütenstände von Sonnenblume und Gänseblümchen. Was fällt dir auf? Verwende eine Lupe.

So wird verhindert, dass eine Einzelblüte von den eigenen Pollenkörnern bestäubt wird. Insekten bestäuben die Blüten.

... und das Gänseblümchen?

Es wächst von der Ebene bis hinauf in die Berge, vom Frühling bis in den Herbst hinein. Es ist ebenfalls ein Korbblütler.

Wiesen-, Garten- und Arzneipflanzen

Ist dir schon einmal das leuchtende Blau der Kornblume aufgefallen? Dieser Korbblütler wächst gerne am Rand von Getreidefeldern. Daher der Name. Bei dieser Pflanze sind die Einzelblüten besonders gut zu unterscheiden.

Zu den beliebtesten Gartenpflanzen gehört die Aster. Aster bedeutet Stern, denn der Name bezieht sich auf die strahlenartig angeordneten Zungenblüten.

Die wohl bekannteste Arzneipflanze ist die Kamille, ein weiterer Korbblütler.

Jetzt weiß ich´s !

Ein Korbblütler besteht aus vielen Einzelblüten. Die **Zungenblüten** locken Insekten an. Nur die inneren **Röhrenblüten** haben Stempel und Staubgefäße.

Art Sonnenblume ➡ Gattung Astern ➡ Familie Korbblütler

Art Gänseblümchen ➡ Gattung Astern ➡ Familie Korbblütler

2 Herbst-Aster

3 Kornblume

4 Kamille. Sie ist eine begehrte Heilpflanze.

5 Arnika – in manchen Bundesländern unter Naturschutz

6 Gänseblümchen

7 Dahlie

Zwischen Lebewesen im Wald gibt es vielfältige Beziehungen

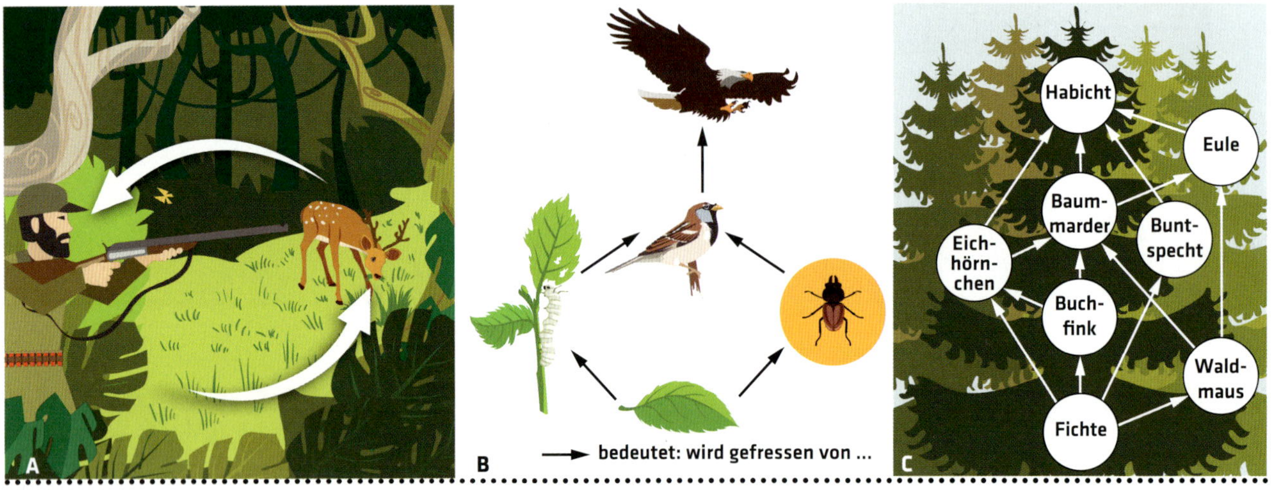

1 Nahrungsketten und Nahrungsnetz in einem Wald (⟶ bedeutet: wird gefressen von ...)

Lebensraum Wald

Im Wald herrscht reges Leben. Du hörst den Gesang des Rotkehlchens. Waldameisen schleppen eine Raupe weg. Eine Blindschleiche schlängelt sich über den Weg. An einem Faden lässt sich eine Spinne von einem Baum herab.

Die vielen Tiere und Pflanzen stehen im Lebensraum Wald in wechselseitigen Beziehungen zueinander. Der Bereich der Biologie, der sich mit den biologischen Wechselbeziehungen zwischen den Lebewesen und deren Lebensraum beschäftigt, heißt Ökologie.

1. Nenne Beispiele für Nahrungsketten im Wald. Erkläre sie.

2. Erkläre das Nahrungsnetz in Abbildung 1C. Stelle ein ähnliches Nahrungsnetz auf.

3. Erkläre einige Beziehungen zwischen den auf Seite 131 abgebildeten Lebewesen.

Pflanzenfresser

Viele Tiere ernähren sich nur von Pflanzen: Blattläuse stechen Blattadern an und saugen daraus Pflanzensaft. Waldmäuse finden unter den Pflanzen am Waldboden ein reichhaltiges Angebot an Früchten und Samen. Rehe fressen Blätter und saftige Kräuter. Diese und andere Tiere sind also Pflanzenfresser.

Fleischfresser

Ohne diese pflanzenfressenden Tiere könnten andere Lebewesen im Wald nicht leben. So frisst der Kuckuck blätterfressende Raupen; Habichte erbeuten Eichhörnchen; der Waldkauz schlägt Wühlmäuse. Diese Tiere sind Fleischfresser.

Nahrungsketten

Du siehst also: Pflanzen werden von Pflanzenfressern gefressen, Pflanzenfresser von Fleischfressern und diese wieder von Fleischfressern. Daher spricht man von Nahrungsketten. Ein Beispiel: Schnecken fressen Pflanzen. Die Schnecken werden unter anderem von Singdrosseln gefressen. Aus dem Nest der Singdrossel erbeutet manchmal ein Eichelhäher die noch nicht flüggen Jungvögel. Der Eichelhäher selbst wird vom Habicht geschlagen. In der Natur gibt es also Lebewesen, die voneinander abhängig sind. Sie bilden eine mögliche Nahrungskette.

2 Tiere und Pflanzen im Lebensraum Wald (die abgebildeten Tiere im Uhrzeigersinn: Eichhörnchen, Raupe des Eichenblattwicklers, Igel, Baummarder, Rotkehlchen, Waldameisen, Regenwurm, Fuchs)

Nahrungsnetz

Die Nahrung der Tiere ist meistens unterschiedlich zusammengesetzt. So kann sich ein Fuchs unter anderem von Hühnern, Mäusen oder Regenwürmern ernähren. Die einzelnen Nahrungsketten bilden ein reich verzweigtes Nahrungsnetz.

Jetzt weiß ich´s!

Der **Wald** ist ein Lebensraum für viele Tiere und Pflanzen. Jede **Nahrungskette** beginnt bei einer grünen Pflanze. Nahrungsketten sind verzweigt. So entstehen **Nahrungsnetze**.

Räuber und Beute leben in einem Gleichgewicht

1 Lebensraum Waldrand und Wiese

Flurschäden durch Wühlmäuse

Siehst du nach dem Winter auf einer Wiese Erdhaufen, so können diese von Wühlmäusen stammen. Tausende Wühlmäuse (Feld- und Rötelmäuse sind die bekanntesten Arten) haben unter der Erde ihre Gänge gegraben. Sie fressen zum Beispiel die Wurzeln von Obstbäumen. Dadurch können sie große Schäden anrichten.

Feldmäuse haben zahlreiche Nachkommen

Feldmäuse leben in unterirdischen Bauen. Laufgänge führen zu Wohnkesseln, die etwa 20 Zentimeter unter der Erdoberfläche liegen. Dort bringen die Weibchen bis zu sechsmal im Jahr Junge zur Welt. Jeder Wurf hat etwa sechs Junge. Diese können schon nach 4 Wochen selbst wieder Nachkommen haben. In einem Lebensraum, wo es wenige oder gar keine Bäume und Sträucher gibt, fehlen auch viele natürliche Räuber der Feldmaus. Die Feldmäuse können sich daher rasch vermehren.

Mäusekolonien

Feldmäuse leben auf engem Raum in größeren Gruppen (Kolonien) zusammen, die durch oberirdische und unterirdische Gänge miteinander verbunden sind. Stirbt ein Weibchen, übernehmen benachbarte Mäuse die Pflege der Nachkommen. Gemeinsame Wintervorräte wie Getreide und Graswurzeln werden in Vorratskammern angelegt.

Mäuse und ihre Jäger halten sich die Waage

Dort, wo Wiesen, Wälder, Weiden, Hecken und Felder abwechselnd vorkommen, halten sich auch viele natürliche Feinde der Mäuse auf, sodass sich die kleinen Nagetiere nicht zu stark vermehren können.

Diese Ordnung bietet allen Lebewesen in einem Lebensraum eine Lebensmöglichkeit. Fleisch- und Pflanzenfresser halten sich so die Waage.

2 Natürliche Feinde der Feldmaus

3 Gleichgewicht zwischen Räuber und Beute im Zeitraum von mehreren Jahren (Schema)

1. Eine abwechslungsreiche Landschaft hilft, Mäuseplagen zu verhindern. Erkläre diesen Satz. Schau dir dazu Abb. 2 an.

2. Erkläre die Abbildung 3. Gib Beispiele an, wie ein Ungleichgewicht zwischen Räuber und Beute wieder ins Gleichgewicht kommen kann.

Jetzt weiß ich´s !

In einem naturnahen Lebensraum halten sich Räuber und Beute das **Gleichgewicht**.

Biologisches Gleichgewicht in einer Waldlandschaft

1 Abfallfresser. A Totengräber als Aasfresser; B Mistkäfer als Kotfresser; C Tierwelt der Buchenstreu als Falllaubfresser

In einem Rotbuchenwald gibt es etwa 7000 verschiedene Tierarten.

Bodentiere – Abfallfresser

Der Waldboden ist Lebensraum vieler Tiere. Bodentiere wie z. B. Regenwürmer, Käfer oder Schnecken leben hier zwischen Laub oder Moos. Diese Abfallfresser ernähren sich von abgestorbenen Pflanzenteilen und von toten Tieren.

Kleinstlebewesen – Zersetzer

Im und am Waldboden leben aber auch sehr kleine Lebewesen, die wir nur mithilfe eines Mikroskops oder einer Lupe sehen können (z. B. Bakterien, Pilze und Einzeller). Diese Zersetzer leben von den Ausscheidungen der Abfallfresser. Sie zersetzen diese in Mineralstoffe. So wird die oberste Bodenschicht zu mineralstoffreichem Humus.

Grüne Pflanzen – Erzeuger

Die Zersetzer lassen von den Pflanzen- und Tierresten nur noch Mineralstoffe, Wasser und Kohlenstoffdioxid übrig.

Diese Stoffe brauchen die grünen Pflanzen des Waldes zum Leben. Der von den grünen Pflanzen abgegebene Sauerstoff ist für fast alle Lebewesen lebensnotwendig. Außerdem dienen die Pflanzen den pflanzenfressenden Tieren als Nahrung. Man nennt sie daher auch Erzeuger.

Pflanzenfresser und Fleischfresser – Verzehrer

Im Wald gibt es einen immer wiederkehrenden Nahrungskreislauf: Pflanzen sind Nahrung für Pflanzenfresser, diese wiederum werden von Fleischfressern verzehrt. Wenn Tiere und Pflanzen sterben, werden die Zersetzer aktiv. Sie erzeugen Mineralstoffe, Wasser und Kohlenstoffdioxid, die wieder von den Pflanzen aufgenommen werden. So ist der Kreislauf geschlossen.

Biologisches Gleichgewicht

Leben alle Lebewesen eines Lebensraumes in ausgeglichenen Nahrungskreisläufen, spricht man von einem biologischen Gleichgewicht.

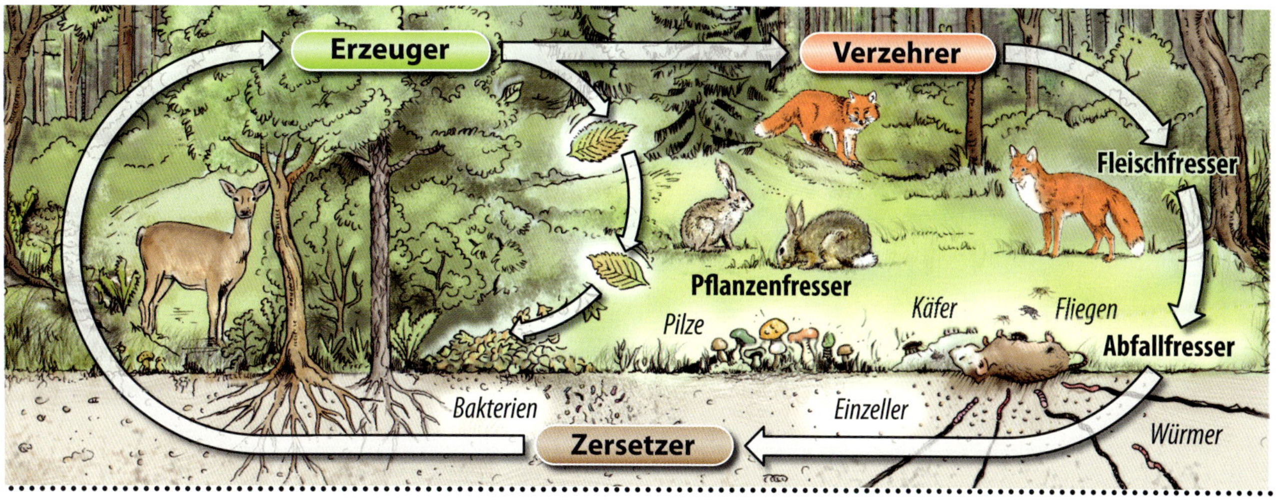

2 Nahrungskreisläufe in einer Waldlandschaft

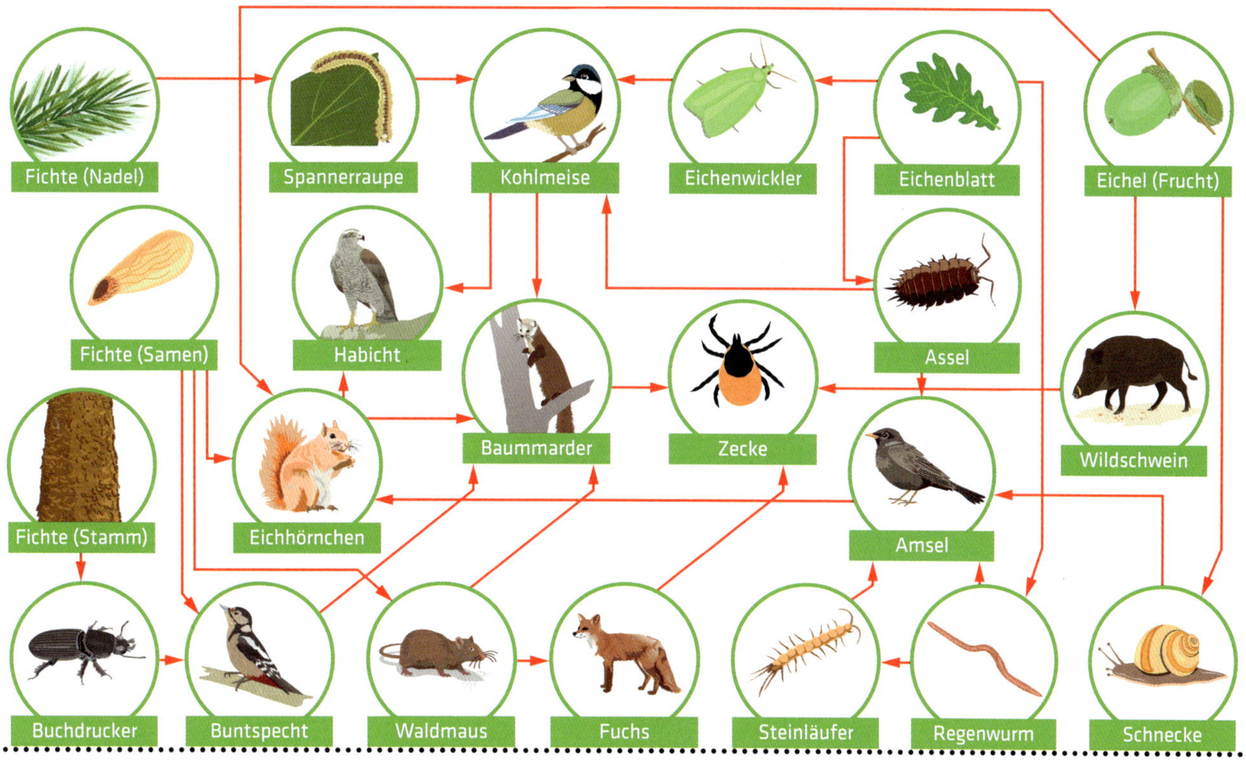

3 Die Lebensgemeinschaft im Lebensraum Wald – ein vielfältig zusammengesetztes Gleichgewicht

1. Beschreibe einige Nahrungskreisläufe im Wald, die du kennst.

2. Erkläre die Abbildung 2.

3. Erkläre die Begriffe „gesunde“ und „kranke“ Waldlandschaft. Denke dabei an Nahrungsketten, Nahrungskreisläufe etc.

Jetzt weiß ich´s !

In einer naturnahen Waldlandschaft gibt es ausgeglichene Nahrungskreisläufe. Es herrscht ein **biologisches Gleichgewicht**.

Naturschutz geht uns alle an!

1 Nationalpark Neusiedlersee-Seewinkel

Auf unserer Erde gibt es sehr viele Tier- und Pflanzenarten. Leider sind immer wieder Arten vom Aussterben bedroht. Naturschützerinnen und Naturschützer setzen sich für selten gewordene Lebewesen ein. In den Roten Listen kannst du nachlesen, welche Lebewesen geschützt sind.

Naturschutzgesetze

Naturschutzgesetze sollte jede und jeder von uns beachten. Es gibt sie, damit Lebewesen und ihre Lebensräume gut geschützt werden. Geschützte Pflanzen dürfen weder gepflückt noch ausgegraben und von ihrem Standort entfernt werden.
Geschützte Tiere darfst du nicht mutwillig beunruhigen, nicht jagen, fangen oder töten.

Geschützte Lebensräume

Für die Erhaltung der Artenvielfalt ist es aber genau so wichtig, die Lebensräume der Tiere und Pflanzen zu schützen. Wenn z. B. ein Wald gerodet wird, weil dort der Platz für eine neue Siedlung gebraucht wird, zerstört man damit die Lebensgrundlage vieler Tiere und Pflanzen. Die Gesetze schützen daher ganze Lebensräume, in denen die Pflanzen und Tiere voneinander abhängig sind.

Auch du kannst helfen!

Naturschutz beginnt bereits bei dir zu Hause. Beim Mülltrennen kannst du zum Beispiel aktiv mithelfen. Altpapier wird wiederverwertet (z. B. für Schreib- oder Toilettenpapier). Auch in den Geschäften kannst du darauf achten. Kaufe Schulhefte aus umweltfreundlichem Papier oder nimm statt einer Plastiktasche eine Papiertasche.
Versuche auch, dein Verhalten in der Natur zu überdenken. Wirf deine Abfälle nicht achtlos weg, sondern in einen Müllbehälter. Im Wald sollst du dich still verhalten und nicht lärmen.
Vielleicht interessiert es dich, Mitglied einer Jugendorganisation zu werden, wie z. B. der österreichischen Naturschutzjugend (ÖJN). Dort erlebst du, wie du dich für die Erhaltung der Natur einsetzen kannst. Bei Aktionen wie „Öko-Inseln 2010" können bedrohte Lebensräume angekauft und so gerettet werden. Ein Euro kann schon viel bewirken.

Schutzzonen

In Österreich gibt es über 350 verschiedene Schutzzonen:
- Naturschutzgebiete
- Landschaftsschutzgebiete
- Nationalparks

In Vollnaturschutzgebieten (z. B. im Nationalpark Neusiedlersee) ist jeder Eingriff in die Natur untersagt.
In Teilnaturschutzgebieten (z. B. im Eichenwald von Zurndorf/Burgenland) sind vereinzelte Eingriffe gestattet, so zum Beispiel das Jagen.

2 Beispiele für geschützte Tiere.
A Fischotter; B Auerhahn; C Weißstorch;
D Blindschleiche; E Smaragdeidechse; F Eisvogel

3 Beispiele für geschützte Pflanzen.
A Edelweiß; B Türkenbund; C Sonnentau;
D Akelei; E Gelbe Teichrose; F Trollblume

1 Erstelle ein Plakat zum Thema Naturschutz. Informiere dich über die Website einer Naturschutzorganisation.

2 Suche dir eines der auf dieser Doppelseite abgebildeten Tiere aus. Suche im Internet nach dem Tier und versuche zu erfahren, warum es gefährdet ist.

3 Wähle eine der auf dieser Seite abgebildeten Pflanzen aus. Mithilfe eines Pflanzenlexikons erfährst du Wissenswertes über sie – auch, warum sie geschützt werden muss.

Jetzt weiß ich´s !

Naturschutzgesetze schützen nicht nur bedrohte Tiere und Pflanzen, sondern auch deren Lebensräume. In den **Naturschutzgebieten** wird für die Erhaltung der Artenvielfalt gesorgt.

!!!

Welche Behauptung stimmt nicht?

In jedem Textfeld stehen drei Behauptungen zur Auswahl.
Eine davon stimmt nicht. Welche? Kreuze sie an.

Blütenpflanzen

Mit ihren Wurzeln nehmen sie

- ☐ Wasser auf.
- ☐ Sauerstoff auf.
- ☐ Mineralstoffe auf.

Flugfrüchte können

- ☐ Schleudervorrichtungen haben.
- ☐ Gleitflügel haben.
- ☐ Schraubenflieger sein.

Im Fruchtknoten befinden sich

- ☐ Pollenkörner.
- ☐ Samenanlagen.
- ☐ Eizellen.

Nach der Befruchtung

- ☐ vertrocknen Griffel und Narbe.
- ☐ fällt der Fruchtknoten ab.
- ☐ schwillt der Fruchtknoten an.

Blüten haben

- ☐ Laubblätter.
- ☐ Staubblätter.
- ☐ Kronblätter.

Die Bestäubung kann durch

- ☐ Insekten erfolgen.
- ☐ Fische erfolgen.
- ☐ den Wind erfolgen.

Legt man eine Bohne für ein paar Stunden ins Wasser,

- ☐ wird sie größer und schwerer.
- ☐ verfault sie.
- ☐ nimmt sie Wasser auf.

Klappst du die Keimblätter der Bohne auseinander, entdeckst du

- ☐ Blütenknospen.
- ☐ die Keimwurzel.
- ☐ Teile des Keimsprosses.

Pollenschläuche wachsen

- ☐ von der Eizelle in die Narbe.
- ☐ durch die Narbe in den Griffel.
- ☐ durch den Griffel in die Samenanlage.

Die Erdbeere

- ☐ besteht aus Einzelfrüchten.
- ☐ ist eine Beerenfrucht.
- ☐ ist eine Sammelfrucht

Pflanzen brauchen Wurzeln, um

- ☐ sich im Boden festzuhalten.
- ☐ aus dem Boden Wasser und Mineralstoffe aufzunehmen.
- ☐ im Boden Giftstoffe zu erkennen.

Die Keimung

- ☐ beginnt, wenn der Same quillt.
- ☐ bedeutet Embryo.
- ☐ ist beendet, wenn sich die Laubblätter entwickelt haben.

🍃 steht für „Pflanzen“

L	A	N	D	🍃	W	I	E	S	E	N	🍃	B	E	🍃	G	J	L	N	P
A	D	H	🍃	S	A	M	E	N	🍃	K	R	A	N	K	H	E	I	T	R
🍃	B	E	S	T	I	M	M	U	N	G	E	C	N	U	T	Z	🍃	O	F
K	L	S	C	H	W	I	M	M	🍃	G	I	F	T	N	A	I	U	P	I
W	Ü	Q	H	E	I	L	🍃	🍃	Z	U	C	H	T	D	R	E	W	F	M
A	T	S	Ä	🍃	S	C	H	U	T	Z	H	T	O	E	Z	R	Y	🍃	W
S	E	🍃	D	Ü	N	G	E	R	V	W	Ü	S	T	E	N	🍃	Z	F	A
S	N	🍃	L	E	X	I	K	O	N	K	L	E	T	T	E	R	🍃	Ö	L
E	🍃	Z	I	M	M	E	R	🍃	X	U	F	E	R	🍃	I	A	A	C	D
R	B	🍃	N	A	M	E	G	F	G	E	W	Ü	R	Z	🍃	D	R	E	🍃
🍃	I	H	G	A	R	T	E	N	🍃	F	R	E	S	S	E	R	T	M	J

Findest du alle 30 Begriffe, die im Buchstabengitter versteckt sind? Sie beinhalten alle das Wort „Pflanzen“ 🍃. „Pflanzen“ kann dabei am Wortanfang oder am Ende des Wortes stehen. Trage die gefundenen Begriffe in die Tabelle ein.

Pflanzen...		

...pflanzen		

!

Frühblüher-Memory

Findest du zu jedem Blumennamen das dazu passende Bild?

Schnee-glöckchen

Lerchen-sporn

Schneerose

Trauben-hyazinthe

Veilchen

Frühlings-Knoten-blume

Busch-Windröschen

Scharbocks-kraut

Narzisse

Krokus

?

!!

Der Buchstabensalat aus Früchten

Es gibt sechs bunte Felder. In jedem der sechs Felder sind die Buchstaben durcheinander gepurzelt. Findest du pro Feld die richtige Reihenfolge der Buchstaben? Sie ergeben jeweils eine Fruchtart. Schreibe sie in die entsprechenden farbigen Felder.

E	R	Ü	F	S	F	M	U	A	T
	H		H		H		E		L
U	C	N	L	T	M	R	C	S	
A	C	F		F	E		R		E
	P		E		C	B	T	U	E
R	T	L	H	U	R	F	N		H
K	H	R		P	T	U		R	
F		L	S	T	E		S	T	I
E	U		C	A		F	C	N	H

!!!

Naturschutzrätsel

Im folgenden Text ist so manches nicht richtig. Finde die 12 Fehler und streiche sie mit Bleistift durch. Ersetze sie durch die richtigen Wörter: angekauft, Artenvielfalt, Aussterben, interessiert, keine, Lebensräume, Nationalpark, Neusiedlersee, oder, Picknick, Roten, töten.

Naturschutz geht uns alle an!

Leider sind immer wieder Tier- und Pflanzenarten vom Schnee bedroht. In der Grünen Liste sind alle geschützten Lebewesen aufgelistet. Naturschutzgesetze schützen nicht nur die Lebewesen, sondern auch ihre Besitzerinnen und Besitzer. Geschützte Tiere darf man nicht beunruhigen, nicht jagen, nicht fangen und schon gar nicht filmen.

Um die Wassertemperatur zu erhalten, darf man den Lebewesen nicht ihren Lebensraum wegnehmen. Machst du im Wald z. B. ein Foto im Grünen, achte darauf, viele Abfälle liegen zu lassen. Vielleicht stört es dich, Mitglied der ÖJN zu werden. Bei Aktionen wie „Schüler retten Naturlandschaft" können bedrohte Lebensräume verschüttet und dadurch gerettet werden.

In Vollnaturschutzgebieten (z. B. Nationalpark Wien-Umgebung) ist jeder Eingriff in die Natur verboten. In Teilnaturschutzgebieten darf man z. B. Grünland nutzen – keinesfalls auf die Jagd gehen.

Trage hier die 12 richtigen Wörter mit BLOCKBUCHSTABEN ein:	Ordne die richtigen Wörter in der Tabelle so an, dass ihre Anfangsbuchstaben ein Wort ergeben.		
	1.		
	2.		
	3.		
	4.		
	5.		
	6.		
	7.		
	8.		
	9.		
	10.		
	11.		
	12.		

Lösungswort: ___ ___ ___ ___ ___ ___ ___ ___ ___ ___ ___ ___

Ökologie-Kreuzworträtsel

Dieses Rätsel besteht aus 20 Fragen. Bei den zehn blau gefärbten Kästchen sollst du die Lösungen von links nach rechts eintragen. Bei den zehn gelb gefärbten Kästchen sollst du die Lösungen von oben nach unten eintragen. Bilde das Lösungswort aus den Buchstaben in den roten Kästchen.

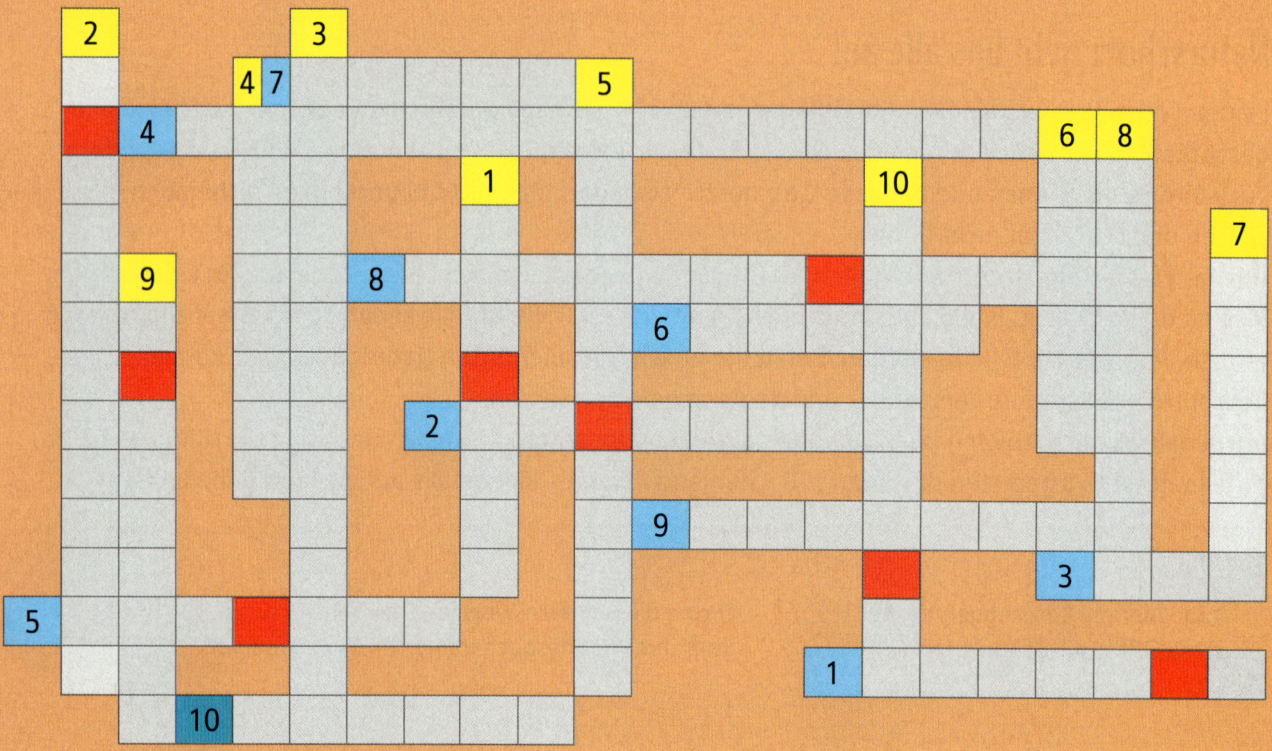

waagrecht:

1. Bodentiere, wie z. B. Regenwürmer, die sich von abgestorbenen Pflanzenteilen oder toten Tieren ernähren, nennt man Abfall ... .
2. An den vergrößerten Schneidezähnen, die ein Leben lang nachwachsen, erkennst du, dass die Feldmaus ein ... ist.
3. Dieses Waldtier ernährt sich von Blättern und saftigen Kräutern.
4. So nennt man Tiere, die sich nur von Pflanzen ernähren.
5. Ein Raubvogel, der z. B. Eichhörnchen erbeutet.
6. Fruchtbare Erde nennt man mit einem Fachausdruck ... .
7. Die ...laus sticht Blattadern an und saugt Pflanzensaft.
8. Hier sammelt die Feldmaus Getreide und Graswurzeln für den Winter.
9. Sie zählen zu den Zersetzern im Boden (Einzahl).
10. Ein Nahrungsnetz setzt sich aus unterschiedlichen Nahrungs... zusammen.

senkrecht:

1. Feldmäuse leben in größeren Gruppen zusammen. Solche Gruppen nennt man ... .
2. Leben alle Lebewesen eines Lebensraumes in ausgeglichenen Nahrungskreisläufen, spricht man von einem biologischen ... .
3. Dieses Tier zählt zu den Eidechsen und bewegt sich schlängelnd über den Waldboden.
4. Dieses Nagetier bringt bis zu sechsmal pro Jahr Junge zur Welt.
5. Mehrere Nahrungsketten bilden ein reich verzweigtes ... .
6. Diese Pflanze gehört zu den geschützten Pflanzen.
7. Die Baue der Feldmäuse liegen unter... .
8. Sie leben von den Ausscheidungen der Abfallfresser.
9. Sie ist eine der bekanntesten Wühlmausarten.
10. Dieser gasförmige Stoff wird von den grünen Pflanzen erzeugt.

Trage alle Buchstaben der roten Felder hier ein:

Ordne die Buchstaben der rot markierten Kästchen zu einem Lösungswort:

Lösungswort: __ __ __ __ __ __ __ __

!

Wer fängt die Maus?

Rund um die Maus kannst du 15 Tiernamen lesen. Finde heraus, welche davon die Feinde der Maus sind und welche nicht. Schreibe die Namen auf.

Katze

Marder

Fledermaus

Frosch

Reh

Hase

Eichhörnchen

Weißstorch

Eule

Schlange

Igel

Fuchs

Reiher

Mäusebussard

Specht

Feinde der Maus:		

keine Feinde der Maus:		

Seite 32: Geheimschrift

Mein Körper und ich

Mein Körper kann viel leisten, wenn ich mich gut um ihn kümmere – Sport betreibe, mich ausgewogen ernähre und mich pflege.
Er ist zu erstaunlich vielen Bewegungen fähig! Damit meine Muskeln und Gelenke gesund bleiben, muss ich sie regelmäßig bewegen.
Genauso wichtig ist eine abwechslungsreiche Ernährung! Wenn meinem Körper keine wichtigen Nährstoffe fehlen, bleibt er auch leistungsfähig.
Außerdem ist es sehr wichtig, meinen Körper zu pflegen, mich regelmäßig zu waschen und meine Zähne mehrmals täglich richtig zu putzen.

🖐 = l 💧 g ■ = z ☺ = i ✪ = u ❖ = b 📖 = w

🖐 er	Wer
💧 esund	gesund
■ leibt,	bleibt,
☺ st	ist
✪ ebensfroh	lebensfroh
❖ nd	und
📖 ufrieden!	zufrieden!

Seite 33: Zusammengesetze Wörter

WADEN	B E I N	VERLETZUNG
BRUST	W I R B E L	SÄULE
NEBEN	H O D E N	SACK
GESICHTS	S C H Ä D E L	KNOCHEN
GELENKS	K O P F	SKELETT
HYGIENE	R E G E L	BLUTUNG
UNTER	K I E F E R	KNOCHEN
ZAHN	W U R Z E L	HAUT

Lösungswort: B I O L O G I E

Seite 50: Gedicht-Rätsel

Bin ein Säugetier - ein altes! Der Auerochs' mein Urahn' ist.
Begnüge mich mit Pflanzenfutter, bin ein „Verdauungsspezialist":
Man nennt mich einen Wiederkäuer mit einem ganz besond'ren Magen:
Jeder der vier Teile leistet seine Arbeit – sozusagen.
Bin ein sehr beliebtes Haustier! Du sagst Stall zu meinem Haus.
Im Sommer bin ich auf der Weide und bleib dort – tagein, tagaus!
Ein Getränk, gesund und weiß, Käse, Jogurt, Butter.
Schnitzel- oder Suppenfleisch, kocht dir dann deine Mutter.
Bin ein sehr wichtiges Nutztier! Vor 7000 Jahren schon haben Menschen mich gezüchtet. Bis heute ist es Tradition:
Für Taschen und so manchen Schuh erzeugt aus meiner Haut man Leder. Aus meinen Hörnern werden Kämme, auch Knöpfe – na das weiß doch jeder!
Glaub', du kennst nun meinen Namen, hast bestimmt mich schon geseh'n! Überleg', was du nicht hättest, würd' ich als Haustier nicht besteh'n.

Mein Name ist Rind.

Seite 50: Haustier-Memory

Wolf 

Hauskatze 

Schäferhund 

Hausschwein 

Rind 

Wildschwein 

Przewalski-Pferd 

Haflinger 

Seite 51: „Außenseiter"

„Außenseiter"	Erklärung
1 Wildschwein	Die anderen Begriffe bezeichnen Haustiere und Nutztiere. Vom Wildschwein stammt das Hausschwein ab.
2 Bache	Die anderen Begriffe bezeichnen das weibliche, das männliche und das junge Hausschwein. Die Bache ist das weibliche Wildschwein.
3 Hornleiste	Die anderen Begriffe bezeichnen Zahnformen. Anstelle von Schneidezähnen hat das Rind eine Hornleiste im Oberkiefer.
4 Speiseröhre	Die anderen Begriffe bezeichnen die vier Teile des Wiederkäuermagens. Die Speiseröhre führt zum Magen.
5 Nesthocker	Die drei Säugetiere sind Nestflüchter, keine Nesthocker.
6 Knochenzapfen	Die anderen Begriffe bezeichnen Knochen der Gliedmaßen von Säugetieren. Ein Knochenzapfen befindet sich am Schädel des Rindes.
7 Hetzjäger	Die anderen Begriffe beziehen sich auf die Katze. Sie ist aber kein Hetzjäger.
8 Allesfresser	Die anderen Begriffe beziehen sich auf das Pferd. Es ist aber ein Pflanzenfresser, kein Allesfresser.
9 Eber	Die anderen Begriffe bezeichnen Mitglieder der Wildschweinfamilie. Der Eber ist das männliche Hausschwein.

Seite 72: Welche Behauptung stimmt?

→ **Eichhörnchen** haben [X] kräftige Sprungbeine.
→ **Fledermäuse** jagen [X] nachts.
→ Der **Fuchs** jagt [X] als Einzelgänger.
→ Der **Maulwurf** ist [X] ein Insektenfresser.
→ **Rehe** sind [X] Pflanzenfresser.
→ **Fledermäuse** [X] halten einen Winterschlaf.
→ **Eichhörnchen** bauen ihre Nester [X] auf Bäumen.
→ Der Lebensraum der **Rehe** sind [X] Wald, Wiese und Feld.
→ Wie verhält sich der **Hase** bei Gefahr? [X] Er flüchtet und schlägt dabei Haken.
→ **Säugetiere** haben ein [X] Gebiss, das an die Ernärungsweise angepasst ist.
→ **Kaninchen** haben in einem Jahr [X] bis zu 60 Junge.
→ Das Revier des **Fuchses** ist [X] 30–1300 ha groß.
→ **Säugetiere** sind [X] entweder Nesthocker oder Nestflüchter.
→ Das Fell des **Maulwurfs** hat keinen Strich, damit er [X] im Erdgang ungehindert laufen kann.

Seite 73: Säugetier-Quartett

Tiername		
1 Maulwurf	2 Eichhönchen	3 Reh
4 Fledermaus	5 Feldhase	6 Kaninchen

4 zu einem Tiernamen passende Begriffe (Quartett)	
1 Maulwurf	walzenförmiger Rumpf, Rüsselknorpel, Grabbeine, dichtes Fell ohne Strichrichtung
2 Eichhörnchen	Sprungbeine, Nagezähne, Klettersohlen, Kobel
3 Reh	Geweih, Kitz, Rehbock, Geiß
4 Fledermaus	Nachtjäger, Ultraschall, Winterschlaf Flattertier
5 Feldhase	Sasse, Langstreckenläufer, Dämmerungstier, Haken schlagen
6 Kaninchen	Kolonien, Wohnkessel, Fluchttier, Kurzstreckenläufer

Seite 96: Kennst du die Vögel?

Lösungswort:

V O G E L L E B E N S R Ä U M E

Seite 102: Eidechsen-Quiz

→ **Eidechsen** ☒ haben seitlich abstehende Beine.
→ **Eidechsen** ☒ bevorzugen sonnige Plätze.
→ **Eidechsen** sind ☒ Kriechtiere.
→ **Eidechsen** ☒ sind Fleischfresser.
→ **Eidechsen** ☒ fallen in Winterstarre.
→ Die **Blindschleiche** ist ☒ eine Eidechse.
→ **Eidechsen** sind ☒ wechselwarme Tiere.
→ **Eidechsen** ☒ verkriechen sich bei Kälte an frostsicheren Plätzen.
→ **Eidechsen** ☒ schlängeln kriechend.
→ **Eidechsen** ☒ Ihr Schuppenpanzer wird von Zeit zu Zeit abgestreift.
→ **Eidechsen** ☒ schlüpfen aus Eiern.
→ **Eidechsen** ☒ sind durch ihre Tarnfarbe geschützt.

Seite 103: Schlangen-Kreuzworträtsel

				3				9			1								10		
2	H	A	L	B	M	O	N	D	F	Ö	R	M	I	G		10	Z	U	N	G	E
	6			I		8		E	9	Z	I	C	K	Z	A	C	K	B	A	N	D
	G			E		S		H			N			4					T		
	I			G		C		N			G			K					T	7	
6	F	R	O	S	C	H		B	7	B	E	D	R	O	H	T	5		E	G	
	T			A		U		Ä			L			P		2	L		R	I	
	D			M		P		R			N			F		M	A		N	F	
	R					P					A			3	T	A	U	C	H	T	11
	Ü	8	G	E	G	E	N	G	I	F	T					U	E		E	Z	S
	S					N					T					S	R		M	Ä	T
	E					11	R	I	P	P	E	N					N		D	H	A
	5	K	R	E	U	Z	O	T	T	E	R									N	R
			4	S	C	H	Ü	T	Z	E	N				1	B	Ä	N	D	E	R

Lösungswort: K R I E C H T I E R E

Seite 138: Welche Behauptung stimmt nicht?

Blütenpflanzen

→ **Mit ihren Wurzeln nehmen sie** ☒ Sauerstoff auf.
→ **Flugfrüchte können** ☒ Schleudervorrichtungen haben.
→ **Im Fruchtknoten befinden sich** ☒ Pollenkörner.
→ **Nach der Befruchtung** ☒ fällt der Fruchtknoten ab.
→ **Blüten haben** ☒ Laubblätter.
→ **Die Bestäubung kann durch** ☒ Fische erfolgen.
→ **Legt man eine Bohne für ein paar Stunden ins Wasser,** ☒ verfault sie.
→ **Klappst du die Keimblätter der Bohne auseinander, entdeckst du** ☒ Blütenknospen.
→ **Pollenschläuche wachsen** ☒ von der Eizelle in die Narbe.
→ **Die Erdbeere** ☒ ist eine Beerenfrucht.
→ **Pflanzen brauchen Wurzeln, um** ☒ im Boden Giftstoffe zu erkennen.
→ **Die Keimung** ☒ bedeutet Embryo.

L	A	N	D		W	I	E	S	E	N		B	E		G	J	L	N	P
A	D	H		S	A	M	E	N		K	R	A	N	K	H	E	I	T	R
	B	E	S	T	I	M	M	U	N	G	E	C	N	U	T	Z		O	F
K	L	S	C	H	W	I	M	M		G	I	F	T	N	A	I	U	P	I
W	Ü	Q	H	E	I	L			Z	U	C	H	T	D	R	E	W	F	M
A	T	S	Ä		S	C	H	U	T	Z	H	T	O	E	Z	R	Y		W
S	E		D	Ü	N	G	E	R	V	W	Ü	S	T	E	N		Z	F	A
S	N		L	E	X	I	K	O	N	K	L	E	T	T	E	R		Ö	L
E		Z	I	M	M	E	R		X	U	F	E	R		I	A	A	C	D
R	B		N	A	M	E	G	F	G	E	W	Ü	R	Z		D	R	E	
	I	H	G	A	R	T	E	N		F	R	E	S	S	E	R	T	M	J

Pflanzen...		
Pflanzenschutz	Pflanzenart	Pflanzenreich
Pflanzendünger	Pflanzenname	Pflanzengift
Pflanzenschädling	Pflanzenzucht	Pflanzenkunde
Pflanzenlexikon	Pflanzenfresser	Pflanzenöl
Pflanzenbestimmung	Pflanzenkrankheit	
...pflanzen		
Kletterpflanzen	Gewürzpflanzen	Schwimmpflanzen
Blütenpflanzen	Gartenpflanzen	Waldpflanzen
Wasserpflanzen	Wiesenpflanzen	Zierpflanzen
Landpflanzen	Arzneipflanzen	Topfpflanzen
Samenpflanzen	Zimmerpflanzen	Nutzpflanzen
Uferpflanzen		

Seite 140: Frühblüher-Memory

Schneeglöckchen 

Frühlings-Knotenblume 

Traubenhyazinthe 

Schneerose 

Veilchen 

Scharbockskraut 

Busch-Windröschen 

Narzisse 

Lerchensporn 

Krokus 

Seite 140: Der Buchstabensalat aus Früchten

HÜLSENFRUCHT	SAMMELFRUCHT
APFELFRUCHT	BEERENFRUCHT
KAPSELFRUCHT	STEINFRUCHT

Seite 141: Naturschutzrätsel

Naturschutz geht uns alle an!

Leider sind immer wieder Tier- und Pflanzenarten vom Aussterben bedroht. In der Roten Liste sind alle geschützten Lebewesen aufgelistet. Naturschutzgesetze schützen nicht nur die Lebewesen, sondern auch ihre Lebensräume. Geschützte Tiere darf man nicht beunruhigen, nicht jagen, nicht fangen und schon gar nicht töten.
Um die Artenvielfalt zu erhalten, darf man den Lebewesen nicht ihren Lebensraum wegnehmen. Machst du im Wald z. B. ein Picknick im Grünen, achte darauf, keine Abfälle liegen zu lassen. Vielleicht interessiert es dich, Mitglied der ÖJN zu werden. Bei Aktionen wie „Schüler retten Naturlandschaft" können bedrohte Lebensräume angekauft und dadurch gerettet werden.
In Vollnaturschutzgebieten (z. B. Nationalpark Neusiedlersee) ist jeder Eingriff in die Natur verboten. In Teilnaturschutzgebieten darf man z. B. Grünland nutzen – oder auf die Jagd gehen.

1.	**N**	ATIONALPARK
2.	**A**	USSTERBEN
3.	**T**	ÖTEN
4.	**I**	NTERESSIERT
5.	**O**	DER
6.	**N**	EUSIEDLERSEE
7.	**A**	RTENVIELFALT
8.	**L**	EBENSRÄUME
9.	**P**	ICKNICK
10.	**A**	NGEKAUFT
11.	**R**	OTEN
12.	**K**	EINE

Lösungswort: N A T I O N A L P A R K

Seite 142: Ökologie-Kreuzworträtsel

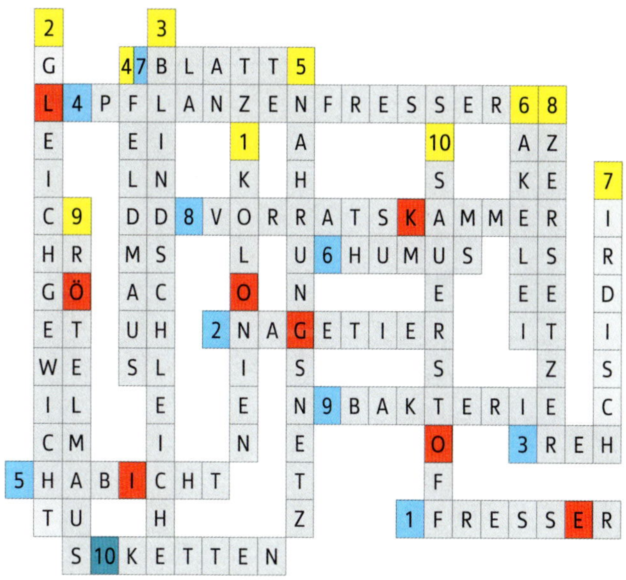

Lösungswort: Ö K O L O G I E

Seite 143: Wer fängt die Maus?

Feinde der Maus: Katze, Schlange, Eule, Weißstorch, Fuchs, Marder, Mäusebussard, Igel und Reiher

keine Feinde der Maus: Frosch, Reh, Eichhörnchen, Specht, Hase, Fledermaus

Bildquellennachweis

002.1	iStockphoto.com/kivoart
002.2	iStockphoto.com/Christopher Futcher
002.3	iStockphoto.com/Lubomir Jendrol
002.4	iStockphoto.com/Wendy Conway
003.1	Alimdi.net/Justus de Cuveland
003.2	Tierbildarchiv Angermayer
003.3	picturedesk.com/Picture Alliance/ Jens Schierenbeck
003.4	Fotolia/Swetlana Wall
004.1	Okapia/OSF/O. Newman
004.2	Prof. Dr. Klaus Hausmann, Institut für Zoologie, Universität Berlin
004.3	Schirl, Karl
004.4	Focusa
008	iStockphoto.com/Joan Vicent Cantó Roig
010.3	Winkler, Heinrich
011.4li	Fotolia/biker3
011.4re	Fotolia/Martin Pohner
014.1A	Wiener Ruderverein Austria
014.1B	Wiener Ruderverein Austria
015.4A	iStockphoto.com/Nemanja Pesic
015.5A	iStockphoto.com/itsmejust
012.1	Winkler, Heinrich
012.2	Leopold, Sabine
012.3	Leopold, Sabine
013.1	Leopold, Sabine
013.2	Leopold, Sabine
016.1	picturedesk.com/cience Photo Library/STR
016.4	Fotolia/Ulises Galvan Contreras
017.5	Winkler, Heinrich
019.3	Corbis/Ken Redding
020.1	obli /Winkler, Heinrich
020.1	obre/Forster, Johannes
020.1	unten/Winkler, Heinrich
021.3	iStockphoto.com/kivoart
021.4	iStockphoto.com/Paweł Bartkowski
030.2	iStockphoto.com/Jenna Deutsch
034.1	iStockphoto.com/cynoclub
034.2	Fotolia/Xaver Klaußner
036.2	Lichtbildarchiv Dr. Keil
036.3	Lichtbildarchiv Dr. Keil
036.4A	Juniors Bildarchiv/M. Wegler
036.4B	Juniors Bildarchiv/M. Wegler
037.5	Premium/Lenz
038.1	iStockphoto.com/pixonaut
042.2	iStockphoto.com/MistikaS
044.1	iStockphoto.com/Chase Swift
044.2	iStockphoto.com/Linda More
044.3	Digitalstock.de
044.4	Spanische Hofreitschule-Bundesgestüt Piber GöR
046.1	Juniors Bildarchiv
046.2	Juniors Bildarchiv/Biosphoto/J.-M. Labat & F. Rouquette
047.5	Fotolia/Jens Klingebiel
047.6	Digitalstock.de/M. Berg
048.1	Fotolia/PHB.cz
048.3	Juniors Bildarchiv
049.2	iStockphoto.com/Maurice van der Velden
049.3	Juniors Bildarchiv/M. Wegler
049.4	iStockphoto.com/Lubomir Jendrol
050.1	Juniors Bildarchiv
050.2	Digitalstock.de
050.3	Juniors Bildarchiv/Biosphoto/J.-M. Labat & F. Rouquette
050.4	Fotolia/Xaver Klaußner
050.5	Stockphoto.com/cynoclub
050.6	iStockphoto.com/MistikaS
050.7	Premium/Lenz
050.8	iStockphoto.com/Linda More
052.1	Fotonatur/Tanja Askani
052.2	Fotonatur/Holger Duty
052.3	picturedesk.com/United Archives/ Bertram Luetke
054.1	Reinhard-Tierfotografie, Kreuzsteinach
054.2	Wildlife/D. J. Cox
056.1	Tierbildarchiv Angermayer
056.2	Fotolia/Reiner Wellmann
058.1	adpic/R. Broda
059.5	iStockphoto.com/Wendy Conway
060.1	Rotholl
060.2	Rotholl
061.5	Blickwinkel /M. Delpho
063	wwf
064.1	Juniors Bildarchiv/M. Danegger
064.2	Fotolia/Ronnie Howard
065.4	iStockphoto.com/Rich Phalin
066.1	Okapia/Torsten Brehm
067.3	Jean Mayer
067.4	Okapia/Nill Dietmar
068.A	Okapia/H. Fürst
068.B	Okapia/Milos Andera
068.C	Okapia/Krahmer Frank
068.D	Okapia/Reinhard Hans
068.E	Okapia/Fürst Hans
068.F	Okapia/Nill Dietmar
075.3	iStockphoto.com/Neil Bradfield
075.4	FotoNatur/Holger Duty
075.5	naturganznah
076.6	TopicMedia/Künne
076.7	Tierbildarchiv Angermayer/Reinhard
076.8	iStockphoto.com/Johan Ramberg
077.1	Wildlife/D. Harms
077.2	Alimdi.net/Horst Jegen
077.3	Wildlife/M. Varesvuo
078.1	A1PIX
079.4	Wildlife/R. Usher
079.5	Okapia/Martin Wolfram
080.1	adpic/R. Broda
080.2	TopicMedia/Raimund Cramm
080.3	Tierbildarchiv Angermayer
081.5	iStockphoto.com/John Pitcher
081.6	Tierbildarchiv Angermayer
081.7	Fotonatur/Tanja Askani
082.1	Corbis/Gallo Images/Hein von Horsten
082.2	adpic/M. Schlutter
083.3	Tierbildarchiv Angermayer/Reinhard
083.4	TopicMedia/Kuch
083.5	Lichtbildarchiv Dr. Keil
084.1	Okapia/Reinhard
085.3	Corbis/Frank Lane Picture Agency/ Martin B. Withers
086.3.1	Lichtbildarchiv Dr. Keil
086.3.2	Lichtbildarchiv Dr. Keil
086.3.3	Lichtbildarchiv Dr. Keil
087.1	Corbis/Robert Pickett
087.2	Corbis/Robert Pickett
087.3	Corbis/Robert Pickett
087.4	Corbis/Zefa/Elmar Krenkel
088.1	Trötschel
088.2	Trötschel
089.3li	Trötschel
089.3re	Trötschel
090.1	Corbis/Frank Lane Picture Agency/ Peggy Heard
091.3	Fotolia/Cosmin Manci
094.1	Alimdi.net/Justus de Cuveland
094.2	iStockphoto.com/Andrew Howe
098.1	Tierbildarchiv Angermayer/Pfletschinger
098.2	Tierbildarchiv Angermayer/Pfletschinger
099.4	Naturfotografie Stefan Ott, Asperg
100.1	Tierbildarchiv Angermayer
100.2	Schedl, Heimo
101.3	Photo-Center
106.1	Schirl, Karl
108.1	Radius Images/Corbis
108.1kl	Dr. Jaenicke
108.2	Dr. Jaenicke
110.1	Blickwinkel/S. Sailer/A. Sailer
110.2	picturedesk.com/Science Photo Library/ Duncan Shaw
110.2kl	Dr. Jaenicke
111.1	picturedesk.com/Picture Alliance/ Jens Schierenbeck
112.1a	Dr. Jaenicke
112.1b	Dr. Jaenicke
112.1c	Dr. Jaenicke
113.3a	iStockphoto.com/AtWaG
113.3b	Fotolia/Britta Langendorff
113.3c	Fotolia/Dleonis
113.3d	iStockphoto.com/Gabor Izso
113.3e	Fotolia/Swetlana Wall
114.1	iStockphoto.com/Ingmar Wesemann
114.2	iStockphoto.com/cmisje
114.3a	Okapia/Rainer Foerster
114.3b	iStockphoto.com/Norbert Bieberstein
114.3c	Wikipedia
114.4	iStockphoto.com/ideeone
115.6	Wikipedia
115.7a	Tönnies
115.7b	Natur & Landschaftsfotografie/Robert Kalb
115.7c	Dr. Jaenicke
116.1a-c	Dr. Jaenicke
117.1	Wildlife/D. Harms
117.2	Wildlife/D. Harms
117.3	Wildlife/D. Harms
117.4	Wildlife/D. Harms
117.5	Wildlife/D. Harms
118.1	Dr. Jaenicke
119.2	Fotolia/Kanusommer
119.3a	iStockphoto.com/AntiMartina
119.3b	Fotolia/Angela
120.4	iStockphoto.com/Elena Blokhina
120.5	iStockphoto.com/Christina Hanck
120.6	iStockphoto.com/Libor Tomášťík
120.7	Okapia/Natur im Bild/Rainer Foerster
120.8a	Digitalstock.de//
0.8b	V-DIA-Verlag
121.10	TopicMedia
121.11	TopicMedia
121.9	TopicMedia
122.1	iStockphoto.com/AntiMartina
122.10	Digitalstock.de/E. Monn
122.11	iStockphoto.com/Iliuta Goean
122.2	Digitalstock.de/K. Vock
122.3	iStockphoto.com/Sally Scott
122.4	iStockphoto.com/Frank van den Bergh
122.5	Digitalstock.de/Wajopi
122.6	iStockphoto.com/Elena Blokhina
122.7	iStockphoto.com/hsvrs
122.7; 145.7	Fotolia/LianeM
122.8	iStockphoto.com/Libor Tomášťík
122.9	Fotolia/Kanusommer
124.1a	Fotolia/Katja Wickert
124.1b	Tönnies
124.2	naturganznah
125.2	Hofer, Hans
125.3	Magele, Martin
125.4	iStockphoto.com/Ivan Vasilev
126.1a	Natur- & Landschaftsfotografie/Kalb, Robert
126.3	Fotonatur/Frank Derer
127.1	Dr. Philipp
128.1	Fotolia/Pixamo
129.2	adpic/M. Baumann
129.3	iStockphoto.com/ Jolanta Dabrowska
129.4	adpic/B. Leitner
129.5	Digitalstock.de
129.6	naturganznah
129.7	iStockphoto.com/Peter E. Jonasen
131.2a	adpic
131.2b	Tierbildarchiv Angermayer/ Pfletschinger
131.2c	Harald Meßner
131.2d	TopicMedia/Danegger
131.2e	TopicMedia/Rubin
131.2f	Tierbildarchiv Angermayer/ Pfletschinger
131.2g	Magele, Martin
131.2h	Okapia/Danegger
132.1	adpic/F. Ross
134.1a,o	Lichtbildarchiv Dr. Keil
134.1a,u	Lichtbildarchiv Dr. Keil
134.1b,u	Digitalstock.de
134.1c,u	Dr. Jaenicke
136.1	Österreich Werbung/Diejun
137.2a	adpic/R. Broda
137.2b	Tierbildarchiv Angermayer/ Reinhard
137.2c	iStockphoto.com/Tom De Bruyne
137.2d	Naturfotografie Stefan Ott, Asperg
137.2e	Fotolia/Talirion
137.2f	iStockphoto.com/Andy Gehrig
137.3a	iStockphoto.com/Kurt Hahn
137.3c	Digitalstock.de
137.3d	iStockphoto.com/Jenna Wagner
137.3e	naturganznah
137.3f	naturganznah
140.1	Okapia/Natur im Bild/Rainer Foerster
140.10	Fotolia/LianeM
140.2	iStockphoto.com/AntiMartina
140.3	iStockphoto.com/Christina Hanck
140.4	iStockphoto.com/Elena Blokhina
140.5	Digitalstock.de
140.6	iStockphoto.com/Julie Fairman
140.7	iStockphoto.com/Sally Scott
140.8	Fotolia/Kanusommer
140.9	iStockphoto.com/crisserbug
144.1	Fotolia/Xaver Klaußner
144.2	iStockphoto.com/cynoclub
144.3	iStockphoto.com/MistikaS
144.4	iStockphoto.com/Linda More
144.5	Premium/Lenz
144.6	Juniors Bildarchiv/Biosphoto/J.-M. Labat & F. Rouquette
144.7	Juniors Bildarchiv
144.8	Digitalstock.de
145.1	iStockphoto.com/AntiMartina
145.10	iStockphoto.com/Elena Blokhina
145.2	iStockphoto.com/crisserbug
145.3	iStockphoto.com/Julie Fairman
145.4	iStockphoto.com/Christina Hanck
145.5	Okapia/Natur im Bild/Rainer Foerster
145.6	Fotolia/Kanusommer
145.8	Digitalstock.de
145.9	iStockphoto.com/Sally Scott
Cover	Rotholl